Jean-Pierre Bathany
- Camaret au Vitriol

Michèle Corfdir
- Le Crabe
- Mortel Hiver sur le Trieux
- Chasse à corps à Bréhat
- Larmes de fond ou le retour du crabe
- Vent contraire
  à Loguivy-de-la-'

Françoise Le Mer
- Colin-maillard à
- La Lame du Taro
- Le faucheur du M
- L'oiseau noir de l
- Blues Bigouden à
- Les santons de Granite rose

Chaix d'Est-Ange
- La filière d'Arradon
- La petite dame de Locminé
- Ratissage dans le golfe
- L'Écluse de Malestroit
- Copie conforme à Larmor-Baden

Gisèle Guillo
- Dernier rendez-vous à Vannes
- Du Léman au Morbihan
- Tempête à Quiberon
- La Belle de Carnac

Annie Le Coz
- Les Maudits de Kérogan
- Plumes sèches à Beg-Meil

Anne-Soizic Loirat
- Lorient l'interdite

Serge Le Gall
- La secte de l'Aven
- Sables mouvants à Bénodet
- La Douarneniste
  et le Commissaire
- Corps-mort à l'Île-de-Batz
- Traque noire à Audierne

Patrick Bent
- Erquy profite le crime
- Le macchabée du Val-André

Jean-Jacques Gourvenec
- Chasse au congre à Lannilis

Firmin Le Bourhis
- La neige venait de l'Ouest *(épuisé)*
- Les Disparues de Quimperlé
- La Belle Scaëroise
- Étape à Plouay
- Lanterne rouge
- Le Châtelain du Faou
- ... orlaix
- ... ars-Carnoët
- ... amandes amères
- ... la lie
- ... héros de Portsall
- Addition salée au Croisic

Cédric Labb
- Les Démons du Midi
- Les Muses de Savoie

Philippe-Michel Dillies
- Meurtres à Monnaie
- Chasse à Tours

Jacques Caouder
- L'Occise des Landes
- L'Évadée de Brennilis
- Le Mort de Brest-Les Abers
- La Troménie noire

Jean-Pierre Le Marc
- Matin rouge au Guilvinec
- Soirées noires à Penmarc'h
- Double vie à Loctudy
- Signes de sang à Lesconil

Stéphane Jaffrézic
- Chili-Concarneau

Bruno Ségalotti
- Filouteries en Côtes-d'Armor
- La Phalange de l'Argoat
- Breizh Connection

Luc Calvez
- Le fils du Tigre
- Les Graffeurs du Ponant

Aux Éditions Alain Bargain

Dans la collection
ENQUÊTES ET SUSPENSE :

 Dans la collection **POL'ART :**

Camaret au VITRIOL

Jean-Pierre BATHANY

Camaret au Vitriol

Collection

ENQUÊTES & SUSPENSE

Quadri Signe - Editions Alain Bargain
125, Vieille Route de Rosporden - 29000 Quimper
E-mail : editions.alain.bargain@wanadoo.fr
Site Internet : perso.wanadoo.fr/editions.bargain

À Élise, Thomas et Lucas.

*« Prends donc garde que la lumière
qui est en toi ne devienne ténèbres. »*
Luc. 11. 35.

I

Camaret.

L'éclairage de l'ampoule du plafonnier vacillait.
Les bourrasques de vent se succédaient et rivalisaient
d'intensité. Les services météorologiques avaient dif-
fusé pour cette nuit un bulletin d'alerte. Ils recom-
mandaient la plus grande prudence.

Soudain, la pièce fut plongée dans le noir. L'homme s'était préparé à cette éventualité. Il prit son bri-
quet dans sa poche et alluma la lampe à pétrole. Une
flamme jaunâtre s'éleva, terminée par un mince filet
de fumée noire. Il actionna la petite molette de cuivre
jusqu'à obtenir une lueur bleutée, puis remit le tube
en verre à sa place. Les objets projetèrent leur ombre
sur les murs et donnèrent à la pièce une atmosphère
lugubre.

Il n'avait pas fermé les volets. La pluie fouettait les
vitres aux caprices des rafales de vent. Il appréciait
d'être à l'abri par ce temps déchaîné.

Après avoir essuyé la buée des vitres du revers de
sa manche, il regarda par la fenêtre. La visibilité se
limitait aux halos des lampadaires dans lesquels la

pluie se reflétait en millions de pics argentés martelant la chaussée luisante. Au-delà, il distinguait avec peine les ombres dansantes des bateaux au mouillage dans le port. Le vent sifflait dans les mâtures.

Son attention se porta sur le trottoir. Une nasse roulait. Elle heurta un pylône électrique, s'immobilisa un court instant au pied du poteau, pivota, puis reprit sa course folle. Celle-ci se terminerait probablement dans les eaux du port.

Il se mit à rêver de ces pays ensoleillés, visités au cours d'un périple interrompu le jour où il avait appris l'horrible drame… Il était revenu. Sa blessure ne s'était pas refermée…

L'homme quitta la fenêtre. Il revint au centre de la pièce où il était attablé avant la coupure d'électricité. Les lames du parquet grincèrent. Il avait l'impression désagréable d'être trahi par ses déplacements, d'être sans cesse épié par ses voisins, un couple de retraités logeant au rez-de-chaussée. Il les imaginait levant la tête vers le plafond à chaque plainte du plancher. Les vieux sont insomniaques ou alors dorment peu. Il se méfiait d'eux, toujours prêts à rapporter aux oreilles complaisantes et à préjuger ceux qui ne vivaient pas comme eux. Il les devinait tapis derrière leurs rideaux, la journée durant, comme des sentinelles, pour observer ses allées et venues : il leur fallait bien tuer le temps de leur triste existence… Parfois, il les croisait dans l'escalier ou dans la rue. Ils échangeaient des banalités sur le temps, leur santé. Deux sujets de conversation étroitement liés sur lesquels ils étaient intarissables. Les maux dont ils souffraient leur servaient de baromètre et ils pouvaient prédire la météo du lendemain.

Il présenta le bout de sa cigarette juste au-dessus du verre de la lampe à pétrole et aspira une longue bouffée pour l'allumer. Le goût âcre du tabac lui irrita la gorge. Il s'assit de nouveau et reprit la lecture du journal étalé sur la table.

Cette presse de proximité avait l'avantage de privilégier la rubrique des faits divers des bourgades les plus reculées. Dans la région, c'était la référence de l'information. Elle en avait même perdu son titre. On l'appelait simplement "Le Journal".

La lumière inonda la pièce. Le courant était rétabli. D'un geste de la main, il chassa les volutes de fumée de cigarette auréolant sa tête. Il se leva, plia le journal et le jeta sur une pile de revues. Il ouvrit une armoire pour y prendre une boîte en carton d'emballage à chaussures et la posa sur la table. Il chercha dans le tiroir d'une commode une paire de ciseaux parmi un tas d'objets hétéroclites. Pas de ciseaux.

Où avait-il pu les mettre ? Il fouilla une nouvelle fois dans le tiroir sans plus de succès. Il passa en revue plusieurs endroits. Il détestait ces situations où l'on perd son temps à chercher un objet, surtout quand la fatigue se fait sentir. C'était le cas.

Il reprit la boîte en carton et la secoua. Il fut rassuré, les ciseaux étaient là.

Il retira l'élastique maintenant le couvercle et souleva celui-ci. Parfait. Il s'attabla, enfila une paire de gants fins en latex puis étala le contenu de la boîte sur la table. Il commença le découpage, lettre par lettre, des titres aux caractères gras qu'il avait préalablement sélectionnés dans des revues. Les lames des ciseaux cliquetaient. Les coupures tombaient en s'amoncelant sur la table, pareilles aux éléments d'un kaléidoscope.

Enfin, il prit une feuille de papier vierge et entreprit la partie collage. Une à une, les lettres formèrent des mots. L'une d'elles resta collée au bout de son doigt. Il soupira d'impatience, cc qui faillit provoquer la dispersion du puzzle qu'il tentait d'assembler. Il s'aida d'une pince à épiler pour saisir l'élément récalcitrant. Tout rentra dans l'ordre. Il tendit la feuille à bout de bras pour mieux juger de l'effet obtenu. « Parfait… », se dit-il. Il la plia et la mit dans une enveloppe qu'il ferma en lissant le rabat gommé de la paume de la main.

II

Le gendarme se pencha prudemment. La vue du corps disloqué en contrebas de la falaise lui instilla une sensation de malaise. A moins d'un miracle, on ne sortait pas vivant d'une telle chute… La marée était montante, il devait faire vite pour prendre en situation les clichés du cadavre.

Ces éléments étaient indispensables au dossier de l'enquête. Mais, pour parvenir jusqu'au corps et s'acquitter de cette tâche, il devait emprunter la sente escarpée à flanc de falaise.

Après avoir vainement cherché des arguments fallacieux pour échapper à cette corvée, il finit par dire à son chef que l'accident était une évidence. Le chef rétorqua qu'il n'en doutait pas, mais lui intima l'ordre de s'exécuter. C'était la procédure. Impossible de s'y soustraire.

Il se jura que, dans une autre vie, il choisirait un métier plus paisible !

Il entreprit la descente à contrecœur. L'appareil photo en bandoulière, il s'agrippa du mieux qu'il put aux aspérités de la roche et aux touffes de végétaux dont il s'assurait chaque fois du bon enracinement.

Sujet au vertige, il n'avait aucune envie de rejoindre l'infortuné.

Il maudit en silence le malheureux qui gisait en bas pour son imprudence à pêcher dans des endroits pareils, et aussi son collègue de brigade qui échappait à cette obligation – privilège du grade… Il progressa pas à pas, insensible au panorama, engoncé dans son uniforme inadapté à cette circonstance.

Après mille précautions, il parvint enfin au bas de la sente.

Tandis qu'il prenait les premières photographies, les secours se préparaient à intervenir. Un des pompiers se pencha en aplomb de la falaise. Il s'exclama :

— Mais c'est Jean Raguennès !

Dans cette bourgade de trois mille âmes, tous se connaissaient. Plus ou moins.

Les quatre secouristes se concertèrent. Ils écartèrent l'éventualité d'une approche avec leur zodiac à partir de la plage de Porz Naye, située non loin de là. Il n'y avait pas suffisamment de fond. L'embarcation pouvait être drossée vers les rochers déchiquetés. C'était trop dangereux.

Conscients que l'urgence était un élément déterminant, ils optèrent pour la solution du treuillage, car ils ne voulaient pas voir le cadavre emporté par les flots.

Chacun sut ce qu'il avait à faire : ces gestes, ils les avaient répétés maintes fois au cours des exercices et des interventions. Ils déchargèrent le camion et se répartirent les tâches. Deux d'entre eux iraient en bas pour harnacher le corps dans la nacelle tandis que les deux autres monteraient l'équipement et se chargeraient de la manœuvre.

Le courageux gendarme remonta la sente après avoir pris ses clichés. Il dut rebrousser chemin pour laisser le passage aux pompiers. Décidément, ce n'était pas son jour !

Des mouettes intriguées par ce remue-ménage inhabituel planaient au-dessus de la scène. Certaines décrivaient des circonvolutions en poussant leurs cris aigus. D'autres, posées sur les rochers, semblaient monter la garde. Cette agitation humaine les troublait. Elles se faisaient de plus en plus nombreuses pour revendiquer la propriété des lieux.

Mais les Rissa Tridactyla n'étaient pas les seules à manifester leur curiosité. Il y avait aussi ceux sans quoi rien ne peut se passer : les indispensables témoins des faits divers avaient également pris possession de la pointe du Grand Goin. Comment étaient-ils arrivés là ? La sortie des véhicules des pompiers et des gendarmes, sirènes hurlantes, avait suffi. L'affaire ne pouvait être que grave.

Que s'était-il passé ? Le regard scrutateur au ras de la casquette, ils commentaient, contredisaient, conseillaient, épiaient le moindre geste des secouristes, toujours parés pour prêter main forte. Mais hélas, on ne leur demandait rien…

Peu importe ! Impuissants spectateurs des tragédies troublant la vie de la commune, ils en étaient l'écho, plus rapides que les journaux à relater les faits avec détails.

Ils y étaient, eux !

Un trépied en tubulure fut ancré dans le sol au bord de la falaise. Il était équipé à son sommet de deux roues à gorge par lesquelles passaient les câbles reliant la nacelle au treuil du camion. Un autre dispositif identique fut également mis en place. Il permettait la remontée en rappel de l'accompagnateur.

En ce début d'après-midi, le ciel chargé de lourds nuages couleur de plomb augurait une prochaine tempête. Le site, dominant l'immensité océane, était toujours exposé au vent. Rares étaient les journées sans qu'il n'y eût au moins une légère brise à balayer les lieux. Même l'été.

Un badaud nouvellement arrivé s'immisça parmi les curieux. Il questionna son voisin :

— Qui c'est ?

— Qui c'est qui ? répliqua l'autre, en le regardant d'un air étonné et en ajustant sa casquette.

— Ben, celui qu'est en bas, précisa le badaud.

— Jean Raguennès, répondit le voisin, avec un léger haussement d'épaules, comme s'il s'agissait d'une évidence.

— Nom de Diou ! C'est pas possib' !

— Si, puisque j'te dis, insista le voisin en le fusillant du regard. Il n'admettait pas que l'on puisse mettre sa parole en doute et pire : blasphémer en un tel moment !

En bas, les vagues venaient déjà mourir sur les rochers à proximité du cadavre. Les pompiers déposèrent le corps dans la nacelle sur une enveloppe isotherme métallisée, rabattirent les côtés pour le recouvrir et sanglèrent solidement l'ensemble.

L'un des secouristes fixa les câbles à la nacelle. L'autre arrima son harnais de sécurité. Tout était prêt pour la remontée. Après les dernières vérifications d'usage, ils levèrent la tête et donnèrent le signal du départ. Celui qui remontait en rappel communiquait par talkie-walkie avec ses collègues.

Le gendarme le plus gradé fit un signe de la tête à Paul Grimaud pour qu'il vienne le rejoindre. C'était le premier témoin. Il avait donné l'alerte.

Cet artisan bijoutier vendait des améthystes qu'il extrayait sur le site bien que cette pratique fût désormais interdite depuis que la presqu'île faisait partie du Parc d'Armorique. Il taillait et montait les pierres sur des bagues qu'il commercialisait avec d'autres bijoux fantaisie de sa boutique-atelier sur le quai Toudouze. Il foisonnait d'idées pour le développement de son affaire. Le maire, séduit par le personnage, l'avait encouragé lors de son installation et s'était pris d'amitié pour lui.

Le gendarme dit :

— Vous passerez nous voir demain. Je dois enregistrer votre déposition.

— Que voulez-vous que je vous dise de plus ? La mobylette a attiré mon attention. Elle était garée près de la sente… Par curiosité, j'ai jeté un coup d'œil en bas et j'ai aperçu le corps. J'ai vite compris qu'il n'y avait plus rien à faire sinon de vous prévenir. C'est ce que j'ai fait.

— Oui… Oui, je sais. Il n'y a pas grand-chose à dire sur cet accident malheureux, mais je suis obligé de consigner votre témoignage, insista le gendarme d'un air agacé.

— Si ça peut vous faire plaisir… répondit Paul Grimaud.

— Ce n'est pas pour me faire plaisir mais je dois procéder ainsi, rétorqua le pandore en haussant légèrement la voix.

Paul Grimaud préféra se taire. Ce n'était pas le moment de polémiquer. Même s'il trouvait le ton du gendarme péremptoire, il ne pouvait se soustraire à cette audition. Le pompier surveillant la remontée fit un signe à son collègue pour mettre le treuil en action. L'ascension de la nacelle se fit lentement. Elle fut bloquée plusieurs fois par des saillies de la roche avant de parvenir en haut de la falaise.

On eût dit une momie dans son sarcophage. En l'apercevant, les plus vieux des curieux se découvrirent et se signèrent devant le corps. Tête basse.

L'un d'eux chuchota :

— Ça devait arriver. Depuis longtemps cet accès aurait du être interdit !

Les autres n'étaient pas d'accord. Bien sûr, il y avait quelquefois des accidents avec des touristes imprudents. Heureusement sans gravité. Jean Raguennès, lui, connaissait la falaise et ses dangers. Il avait l'habitude.

Paul Grimaud se mêla à leur conversation. Il dit que l'habitude avait peut-être été fatale à Jean. A force, on ne fait plus attention et l'imprévisible arrive. Puis, il fut question de l'âge de la victime. Soixante-quinze ans, ça compte, on n'est plus alerte, il faut savoir s'arrêter. Avec Jean, il n'y avait rien à faire ; trop tête de mule, ce vieux !

— La pêche… La pêche… Pff… Y avait qu'ça avec lui. Voilà où ça l'a mené, le pauv'. Il est plus avancé main'nant, dit Émile Caradec, en hochant la tête et en rajustant son pantalon à la ceinture.

— Gast, il fallait bien qu'il parte de chez lui, avec la bonne femme qu'il avait à la maison. C'était pas tenab', rajouta Corentin Le Borgne.

— Quoi ? Qu'est-ce t'en sais, toi, pour dire des choses pareilles ? Thérèse Gouzien était outrée.

— C'est c'qu'on dit, à c'qui paraît, répondit Corentin Le Borgne pour se défausser sournoisement de ses accusations.

— On dit… On dit, ça veut dire quoi au juste ?

— Eh… Eh… Ça suffit ! Je crois que Jean n'aurait pas apprécié ce genre d'oraison. Un peu de respect, s'il vous plaît ! intima d'un air sévère Louis Pensec, le deuxième adjoint au maire.

Le cercle s'effaça pour laisser passer l'ambulance arrivée de Crozon. Les ambulanciers serrèrent quelques mains de leurs connaissances. Ils ne s'attardèrent pas. Le corps fut mis sur une civière. Direction la morgue de l'hôpital.

Les pompiers démontèrent leur matériel. Petit à petit, l'endroit retrouva son calme. Quelques badauds s'attardèrent, intarissables dans leurs hypothèses sur les causes de la mort de Jean Raguennès. Ils mesuraient, estimaient, gesticulaient pour mieux imposer leurs opinions. Ils voulaient à tout prix trouver une explication plausible à la disparition brutale de l'un d'entre eux.

Un faux pas ? Déséquilibré par une rafale de vent plus forte ? Un malaise ? Autant de questions sans réponses. On pouvait tout supposer, il n'y avait aucun témoin.

III

Pierre Picard, le maire, regarda sa montre. Dix-sept heures. Sa journée de permanence hebdomadaire à l'hôtel de ville s'achevait. Il n'aurait plus de visites.

Cet après-midi, il avait reçu un couple qui se plaignait d'un problème d'évacuation d'eaux usées et un retraité pour des troubles de voisinage occasionnés par les décibels d'une musique qu'il qualifiait volontiers de sauvage, provenant d'un bar contigu à son habitation. Si rien n'était fait, le plaignant promettait de régler le problème lui-même. Pierre Picard connaissait de réputation ce belliciste, et l'accusé, comme à l'accoutumée, arguerait qu'il payait une patente, était en règle avec les impôts, avait créé un emploi de serveuse et qu'il emmerdait cet homme.

Son rôle de conciliateur n'était pas de tout repos. La vie des édiles au contact de la France d'en bas, il la connaissait !

A quarante-sept ans, il exerçait le métier d'assureur. Cette profession l'avait amené à bien connaître les habitants du petit port. Son cabinet, situé quai Kléber, jouissait d'une bonne réputation. Sur l'insistance d'un groupe d'amis, sa notoriété l'avait conduit à la vie politique puis à briguer le poste de premier magistrat.

Depuis quatre ans, sa charge d'élu l'accaparait suffisamment pour céder une partie de sa clientèle à son associé. Son élection avait contribué au développement de leur affaire.

Grand, brun, l'allure sportive, les yeux pétillants, c'était un maire dynamique. Il entraînait dans son sillage les plus timorés de son équipe municipale et connaissait parfaitement les dossiers.

Loin des compromissions politiciennes, il avait la manière de faire accepter ses idées et se démenait sur tous les fronts pour développer la cité mais aussi réparer les erreurs de son prédécesseur, comme la réalisation démesurée du port de plaisance ou celle extravagante d'un terrain de golf.

Lorsqu'il était dans l'opposition, il avait approuvé le projet du complexe portuaire de plaisance mais il l'aurait souhaité plus modeste. A son élection, il hérita du chantier. Les travaux avaient suscité bien des polémiques. Sans compter les séances houleuses du conseil municipal à la limite de l'étripage, tant les passions s'étaient exacerbées sur le sujet.

Paradoxalement, le terrain de golf qu'il se plaisait à qualifier de projet pharaonique pour la commune n'avait soulevé aucune controverse.

Quelques voix, toujours les mêmes, s'étaient opposées à ce projet dispendieux mais, pour la grande majorité des administrés, ce fut l'indifférence et le maire précédent avait pu donner libre cours à sa mégalomanie.

Hélas, si le plan financier était prometteur, la réalité fut plus amère. Pire, une déconfiture. L'élite sportive sur laquelle on comptait pour relever l'image de ce port de pêche sur le déclin ne fut pas au rendez-vous. Hormis l'organisation de rares tournois, les abonnés n'étaient pas assez nombreux. La construction d'un hôtel de luxe pour attirer cette clientèle pouvait être une solution à ces déboires. Alors, Pierre Picard, en bon gestionnaire des fonds publics, recher#cha des investisseurs privés ou de grands groupes immobiliers pour reprendre l'ensemble du projet. Pour l'instant, il avait obtenu un moratoire auprès des banques.

Dix-sept heures trente. Il avança l'heure de la signature du courrier. Cela lui laisserait du temps pour se rendre ensuite à son cabinet d'assurances. Il referma le dossier qu'il consultait et appela la secrétaire à l'interphone. Anne Lestel frappa à la porte du bureau du maire. Elle entra, le parapheur serré contre sa poitrine. C'était une femme agréable, toujours enjouée. Lorsqu'elle avait pris ses fonctions sous l'ancienne municipalité, ses tenues vestimentaires très tendance avaient fait l'objet de commentaires les plus divers. Il y avait les pour et les contre. Une certitude, elle était bien différente de son prédécesseur, un vieux rond de cuir cirrhotique.

Pierre Picard n'était pas insensible aux charmes de cette célibataire dont il appréciait également la compétence.

C'était une collaboratrice précieuse. Il pouvait compter sur elle quand il était absent. Ce qu'il ignorait, c'était qu'elle était secrètement amoureuse de lui.

Elle prit place dans l'un des fauteuils en face du bureau. Elle croisa les jambes. A hauteur des bas, Pierre Picard porta un regard furtif sur la chair des cuisses de la femme. S'en était-elle aperçue ? Elle se souleva légèrement du siège en tirant sur sa jupe Geste de pudeur typiquement féminin, pensa-t-il. Il chassa cette vision érotique, la regarda en souriant et dit aussitôt :

— Vous noterez que les services techniques se rendront chez les Rospars, impasse Colbert, pour un problème d'évacuation d'eaux usées. Il semble que l'obstruction se trouve sur le domaine public… À vérifier. Sinon, il y a toujours le litige entre Abervé et le bar "Le Moussaillon". Je réglerai cette affaire moi-même avant qu'il y ait du grabuge. Il est vrai que le patron du troquet exagère. Sa musique est trop forte. Quel plaisir peut-on éprouver à consommer chez lui ? On est obligé de crier pour se faire entendre.

— C'est un bar de jeunes, répondit Anne Lestel.

Elle tendit le parapheur au maire après en avoir retiré une enveloppe qu'elle garda.

Pierre Picard commença la série de signatures en lisant et en commentant brièvement chaque courrier. Entre deux paraphes, sa main tenant le stylo resta en suspens.

Il lui sembla que la secrétaire n'avait pas sa bonne humeur habituelle. Il leva son regard.

— Anne, quelque chose vous tracasse ?

— …

Il n'insista pas et continua sans rien dire jusqu'au dernier paraphe. Il referma le classeur et le rendit à la secrétaire.

Elle sortit de son mutisme :

— Cet après-midi, il y a eu un accident à la pointe du Grand Goin.

— Grave ?

— Je ne sais pas. François Gourmelon est sur place. J'attends son retour d'une minute à l'autre. Il ne devrait pas tarder à revenir.

— C'est donc cela qui vous contrarie ?

— N… Non, murmura-t-elle, en tendant le pli qu'elle avait gardé.

Il fronça les sourcils à la vue de l'enveloppe et l'ouvrit.

— Une de plus, soupira-t-il.

— C'est la quatrième. Nous ne devons pas tolérer qu'un individu adresse des lettres anonymes à la mairie. Il faut réagir !

— Réagir ? Nous aurions dû le faire dès le premier envoi. Nous en avons assez parlé, nous ne devons pas ébruiter cette affaire. Un corbeau, ce n'est pas bon pour la réputation de la commune.

— Ce n'est pas vraiment ce que l'on appelle un corbeau. Il ne dénonce personne. Peut-être un mauvais plaisantin ou un déséquilibré… Il faudrait en parler au chef de brigade, il mènerait une enquête, suggéra-t-elle.

— Sûrement pas ! Vous pouvez être certaine que la nouvelle se répandrait comme une traînée de poudre. Les uniformes, ce n'est pas ce qu'il y a de plus discret ! Et le chef, avec son zèle, non… Je le connais. Pour se distinguer, il en ferait des tonnes. L'occasion serait trop belle. Vous le savez… Ici, à part la routine, les contrôles, les constats d'accidents et autres broutilles, rien ne l'empêche de dormir. J'ai peut-être une…

On frappa à la porte du bureau.

— Oui ! lança-t-il.

La porte s'ouvrit. François Gourmelon, le garde champêtre apparut, essoufflé d'avoir gravi à la hâte les marches de l'escalier menant à l'étage. Il retira son képi et en essuya le bord intérieur avec son mouchoir.

— Monsieur le Maire !

— Je t'écoute, François.

— Jean Raguennès, il est… Il est…

— Il est quoi ? Parle…

— Il est mort !

Le garde champêtre fit un rapport circonstancié du

drame. Pierre Picard se leva de son fauteuil et arpenta la pièce en écoutant. Il pensa aux conséquences de l'accident et aux tracas juridiques en perspective si la famille du défunt portait plainte.

De plus en plus, la responsabilité civile des maires était engagée devant les tribunaux. Pourtant, ici, tout le monde savait qu'il y avait un risque à emprunter la sente, à fortiori Jean Raguennès. Il s'y rendait régulièrement depuis de nombreuses années pour pêcher. C'était certes son endroit préféré mais il n'en ignorait pas la dangerosité. Surtout à son âge. Lui aussi avait sa part de responsabilité. Ce n'était pas le moment de faire le procès du défunt. Pierre Picard se retourna, face à la secrétaire et au garde champêtre. Il donna les premières directives.

— Anne, écrivez immédiatement un courrier au président du Parc d'Armorique pour l'informer des faits, puis vous éditerez un arrêté municipal interdisant l'accès de cet endroit. Je le signerai. Vous, François, vous irez dès demain matin aux services techniques pour leur demander de fabriquer un panneau sur lequel sera affiché cet arrêté. Je veux qu'il soit mis en place immédiatement à la pointe du Grand Goin.

J'irai ce soir présenter mes condoléances à la veuve. A l'heure qu'il est, elle a dû apprendre la terrible nouvelle…

Le garde champêtre et la secrétaire quittèrent le bureau.

Pierre Picard se retrouva seul. La mort de Jean Raguennès le troublait. Il connaissait bien cet homme, conseiller municipal de l'équipe précédente. C'était certain, ils avaient des divergences politiques mais cela ne les empêchait pas de se respecter et de prendre un verre ensemble dès que l'occasion se présentait. Il le regrettait. Il reprit la lettre anonyme que lui avait donnée Anne Lestel et lut : « *Interiora terrae lapidem.* »

Il essaya une fois de plus d'identifier les revues dans lesquelles avaient été découpées les lettres. C'était impossible.

Ce n'étaient pas les quelques mots prononcés lors des offices religieux qui faisaient des habitants de la ville des latinistes chevronnés. Il y en avait, mais pour les recenser, comment faire ? Avant tout, quelle était la signification de ces trois mots ? Sur ce point, le curé pourrait peut-être lui venir en aide. La secrétaire avait raison, ce message obscur ne contenait aucune délation.

La sonnerie de l'interphone le fit sursauter. Anne Lestel avait terminé la lettre destinée au président du Parc d'Armorique.

Pierre Picard la lut. Il apposa nerveusement sa signature au bas de la page.

La secrétaire se risqua :

— Pierre… Elle rosit légèrement. Ça me gêne de vous le dire… Mais ces lettres… Je n'y arrive pas, c'est délicat pour moi.

— Je vous en prie, dites ce que vous pensez. Cela nous aidera à y voir plus clair, l'encouragea-t-il.

— Il y a peut-être un lien avec votre vie privée…

Il resta interloqué. Sa vie privée ! Il considérait qu'il n'en avait pas. Le travail avant tout. La mairie, les assurances, si elle pensait qu'il cachait quelque chose sur sa vie sentimentale, elle se trompait.

— Que voulez-vous dire ? Je vis seul. Ma compagne m'a quitté, nous sommes restés en bons termes. Elle ne se plaisait pas ici… Le climat, la mentalité des gens… Elle déprimait. Voilà, c'est tout. Je ne pense pas être interpellé personnellement à travers ces lettres. Par ailleurs sur l'enveloppe, il n'y a aucune mention particulière à mon intention.

Anne Lestel s'excusa. Pierre Picard répondit que c'était bien ainsi. Il n'y aurait plus d'ambiguïté sur ce sujet.

La secrétaire était troublée par l'intimité de cette conversation.

On frappa de nouveau à la porte. Pierre Picard n'eut pas le temps de répondre que celle-ci fut ouverte par Paul Grimaud.

En apercevant le maire et la secrétaire, il marqua un temps d'arrêt.

— Je vous dérange ?

— Non, Paul, tu peux entrer.

Ils parlèrent de l'accident de la pointe du Grand Goin dont on ne connaîtrait probablement jamais les circonstances exactes.

— Les gendarmes sont-ils au courant que tu cherchais des améthystes lorsque tu as découvert le corps ? s'assura Pierre Picard.

— Non.

— Ils sont tellement pointilleux qu'ils ne manqueraient pas de le mentionner dans leur procès-verbal. Il ne faut surtout pas que les responsables du Parc d'Armorique l'apprennent. Ils sont soucieux, à juste titre, de préserver le site.

— Bien sûr, mais sois rassuré, ils ne m'ont même pas demandé ce que je faisais à la pointe du Grand Goin.

— Je suppose qu'ils t'ont convoqué à la gendarmerie ?

— Oui, demain.

— Bien, tu leur diras que tu te baladais.

— Évidemment.

Le maire lui montra la dernière lettre anonyme reçue. Paul Grimaud et la secrétaire étaient les seules personnes avec le maire à connaître l'existence de ces courriers.

— Pierre, tu dois faire quelque chose, ça commence à être inquiétant.

— C'est ce que j'ai dit, renchérit Anne Lestel.

Pierre Picard n'était pas d'accord avec eux. Il y avait un risque à divulguer cette histoire.

En la rendant publique, certains reconnaîtraient, un peu trop facilement dans leur voisinage, l'auteur des lettres et saisiraient l'opportunité pour déterrer de vieux contentieux. C'était la faute à ne pas commettre. C'est ce que cherchait probablement l'individu.

— Pour le moment, feignons d'ignorer, il finira par se lasser, dit le maire.

Il ne voyait pas de solution plus judicieuse pour résoudre ce problème. Il ajouta en se levant :

— Cependant, je ne resterai pas sans agir. Dès demain, je prendrai conseil auprès d'un ami.

Il était temps qu'il aille chez la veuve.

IV

Paris.

Le téléphone émit sa sonnerie modulée. Une main hésitante sortit de dessous la couette et tâtonna dans le vide à la recherche du poste. Elle le heurta maladroitement, en provoquant la chute sur l'épaisse moquette.

Le locataire des lieux marmonna. Un déficit d'heures de sommeil était à l'origine de sa grogne. Sa main trouva enfin le combiné sur le sol. Il chassa la sensation pâteuse de sa bouche en faisant claquer sa langue sur son palais et articula avec peine :

— M' ouais ?

— Bip… Bip… Bip…

La ligne avait été interrompue. Sans se soucier, il lâcha l'appareil puis se tourna vers le bord du lit. Il ouvrit un œil pour repérer le fil reliant le poste à la prise. Il le prit et tira d'un coup sec. La prise réfractaire ne quitta pas son logement. Le résultat ne se fit pas attendre. Son corps en équilibre précaire alla rejoindre le téléphone sur la moquette. Sa tête heurta légèrement l'appareil. Nouveau juron.

— Et, me-e-e-r-de !

Thomas de Rosmadec, lointain descendant du baron de Mollac, chevalier de Telgruc, se retrouva nu sur le sol. Il se redressa, hagard. Il comprit que la prudence lui dictait de ne pas s'entêter et de retourner sous la couette plus accueillante.

Les gens téléphonent toujours quand ce n'est pas le moment.

Il aperçut une touffe de cheveux blonds nichée sur l'oreiller voisin. La veille, il n'était pas rentré seul chez lui.

Ce charivari n'avait pas pour autant réveillé la femme. Il éprouva le besoin de dormir encore un peu. En vain.

Il se tourna vers le corps allongé à son côté. Il le caressa. Insensible aux sollicitations, la femme émit des gémissements de protestation, plus encline à dormir qu'à satisfaire une appétence sexuelle.

Thomas de Rosmadec, le sexe raide, le désir inassouvi, se résigna à un réveil platonique. Il s'allongea sur le dos et se croisa les mains derrière la nuque.

Il occupa son esprit à des pensées plus prosaïques, comme l'organisation de l'emploi du temps de sa journée.

Premières mises au point chez son éditeur, pour un ouvrage de vulgarisation traitant du comportement des assassins les plus célèbres. Calendrier des séances de dédicaces pour son dernier livre, une étude sur la secte fondée par Hassan ibn an Sabbah, intitulé

Haschischin. Le comportement de ces guerriers avait des similitudes avec celui des kamikazes musulmans d'aujourd'hui. Ensuite, il devait se rendre à la préfecture de police où il intervenait en qualité de criminologue. Le Ministère de l'Intérieur lui avait proposé un poste. Il avait refusé. Il préférait privilégier son indépendance… Il ne s'imaginait pas faire carrière dans le carcan d'une structure étatique.

Il décida de se lever. Il prit appui sur le sol avec une main et pencha la tête sous le sommier pour repérer ses mules, puis s'assit sur le bord du lit pour les chausser du bout des orteils. Il bâilla en se passant une main dans les cheveux pour y remettre un peu d'ordre, débrancha le téléphone, puis enfila un peignoir.

Quelques instants plus tard, la cafetière électrique gargouillait en laissant échapper son mince filet d'eau chaude sur la mouture. Il écarta les lamelles du store de la fenêtre, la journée s'annonçait ensoleillée. Il alluma la radio.

Les sept notes de France info retentirent. Le journaliste égrena les titres de la une : « Le ministre du budget annonce un taux de croissance en dessous des prévisions. Prochaine grève annoncée dans les transports publics, la direction et les syndicats ne se sont pas mis d'accord. A Dijon, un homme dit avoir retrouvé sa compagne et leur fillette assassinées, il est actuellement en garde à vue… Comme nous vous le disions, le taux de croissance escompté sera… »

Il éteignit le poste. Toujours les mêmes informations ressassées en boucle.

Il quitta la pièce pour prendre une douche et se raser. Devant le miroir, il se dévisagea et constata sur son front une légère ecchymose consécutive à sa chute. Sous la douche, il tempêta. L'eau n'était jamais à la bonne température et le réglage incertain. Il se promit de faire installer un mitigeur.

Vingt minutes plus tard, il revint dans la chambre en tenant un plateau sur lequel était disposé le nécessaire pour un petit-déjeuner à deux. Il le posa au pied du lit. Il fit glisser lentement la couette et embrassa le dos de la femme endormie.

— Bonjour… Petit-déjeuner !

— B' jour, répondit-elle. Je rêvais. Nous faisions la…

— L'amour, je parie !

Elle étouffa un rire dans l'oreiller.

— Tu ne penses qu'à ça. Non ! La visite de notre futur logement.

Elle se retourna et lui prit la nuque d'une main pour l'attirer contre sa poitrine. Il fit glisser doucement ses lèvres sur le ventre de la femme.

Elle s'étira lascivement et se cambra de plaisir, le pubis en avant.

Il rabattit vivement la couette pour la recouvrir.

— Buvons le café avant qu'il ne refroidisse !

— Après, viens… supplia-t-elle.

— Tss… Tss… Pas question !

Il fit tinter une cuiller sur la tasse pour la ramener à la raison.

— Salaud, murmura-t-elle, en faisant la moue.

Ils s'étaient connus à un cocktail organisé par un éditeur, lors du lancement du premier titre d'un jeune auteur de science-fiction à l'avenir prometteur. Elle se tenait à l'écart, un verre à la main, remontant sans cesse une mèche de cheveux qui lui barrait le front. Il la remarqua et fut tout de suite séduit. Pour l'aborder, il lui avait demandé si elle était du métier. Elle avait répondu qu'elle accompagnait une amie, son associée. Ensemble, elles tenaient une librairie. Ils avaient beaucoup parlé. Elle avait une voix douce et caressante. Il était sous le charme.

Par la suite, ils s'étaient revus plusieurs fois. Elle appréciait la compagnie de cet homme sans illusions sur la vie qui jetait un regard caustique sur la société mais qui paradoxalement, savait aussi s'émerveiller d'un rien.

Thomas de Rosmadec rebrancha le téléphone et le posa sur le siège pliant. Un des rares meubles de la chambre avec le lit et un valet.

Un grand placard aux portes coulissantes faisait office de penderie. Les murs blancs étaient vierges de tout décor.

Son bureau était la seule pièce où les livres et les objets les plus divers s'entassaient pêle-mêle. Un véritable capharnaüm propice au foisonnement de son imaginaire. Il y écrivait ses livres.

Depuis l'achat de cet appartement, il avait des projets d'aménagement sans cesse remis à plus tard. Le temps lui manquait…

Léa, c'était son prénom, avait des idées… Elle connaissait des boutiques de meubles et de décoration. Il n'avait rien répondu, comme si ça ne l'intéressait pas.

Léa s'écria :

— Mon Dieu, je suis en retard ! Aujourd'hui, je fais l'ouverture de la librairie, vite !

Elle jaillit du lit et disparut aussitôt vers la salle de bain.

Thomas de Rosmadec, non plus, n'était pas en avance pour son rendez-vous chez l'éditeur. Il pourrait toujours prétexter les aléas de la circulation. Il prit son temps pour s'habiller. Il finissait de boucler la ceinture de son pantalon quand le téléphone sonna. Il fit le tour du lit et décrocha.

— Oui ? Ah, c'est toi Pierre ! Ça me fait plaisir de t'entendre depuis le temps que… Oui… Oui, toujours overbooké. Il rit pour se moquer de ces ridicules anglicismes à la mode. Et toi, comment vas-tu ? Oui… Oui… Non… C'est parfait ! Que me vaut l'honneur ? C'est toi qui m'as appelé, il y a une demi-heure environ ? Oui… Nous sommes rentrés tard ou très tôt, c'est selon… Nouveaux rires. Oui, je t'écoute.

Pierre Picard l'informa brièvement de ses préoccupations concernant les lettres anonymes. Thomas de Rosmadec répondit qu'il lui était difficile de donner un avis en si peu de temps. Il aurait aimé voir ces fameuses lettres. Elles pouvaient receler certains indices, comme le papier utilisé en support du collage, la façon dont les caractères étaient découpés et collés : des détails à ne pas négliger… Non, Pierre ne pouvait pas venir à Paris. Alors Thomas envisagea un possible déplacement à Camaret. Malheureusement pas dans l'immédiat.

— Ne quitte pas, je prends mon agenda.

Il posa le combiné sur le lit puis se rendit dans son bureau pour consulter les pages du mois courant. Il revint au téléphone

— Je suis désolé, Pierre, pas avant cinq semaines ; après, j'ai tout mon temps de libre, à part quelques rendez-vous sans importance… Je peux les reporter. On fait comme ça, Pierre ?… Oui, bien sûr, je te rappellerai… Salut. Il raccrocha.

A cet instant, Léa sortit de la salle de bain en ébouriffant ses cheveux pour les faire sécher plus vite. Elle ouvrit la porte de la penderie pour chercher des vêtements.

— Je n'ai plus rien à me mettre, dit-elle, d'un air désolé.

Thomas pensait encore au coup de téléphone qu'il venait de recevoir. Il la regarda et réalisa qu'elle était nue.

— Tu es ravissante comme ça… Pourquoi tu te compliques la vie ?

Il s'avança vers elle en prenant un air concupiscent, l'enlaça par derrière et lui embrassa la nuque, tandis qu'elle continuait à faire le maigre inventaire de sa garde-robe. Prête à céder, elle protesta mollement :

— Tu sais bien… Je suis en retard… N'en rajoute pas…

— Ce n'est pas ce que tu disais tout à l'heure, lui rappela-t-il, en lui caressant les seins.

Au gré de leurs envies, ils vivaient chez l'un ou chez l'autre. C'était toujours décidé à la dernière minute. Sans aucune raison particulière. Les vêtements ne suivaient donc pas le rythme et commençaient sérieusement à se disperser d'un habitat à l'autre. Thomas suggéra :

— Il est temps que nous ayons un seul logement.

— Je te l'ai dit maintes fois !

Mais c'était toujours remis à plus tard, comme s'ils se piquaient au petit jeu de cette vie de bohème faite d'incertitudes, pressentant inconsciemment les conséquences néfastes d'une vie routinière que l'un et l'autre fuyaient.

Elle réussit à s'accommoder d'un ensemble, veston et pantalon à peu près assortis. Elle porta la main à son cou et s'affola.

— Mon collier, j'ai perdu mon collier !

Thomas était habitué à ces étourderies. Quand ce n'étaient pas les colliers, c'étaient les foulards ou encore le sac à main.

Il chercha. Comme d'habitude, ce fut elle qui le trouva. Le bijou était sous son oreiller. Elle enfila rapidement ses chaussures en sautillant d'un pied sur l'autre.

Enfin prête, elle lui donna un rapide baiser sur les lèvres et partit comme une tornade en criant :

— A ce soir, Tom ! On s'appelle !

La porte d'entrée claqua derrière elle.

Thomas prépara les documents nécessaires à son éditeur et le synoptique de son prochain livre, tout en se remémorant l'entretien téléphonique qu'il avait eu avec son ami Pierre Picard.

Leur amitié remontait à la classe de troisième au lycée Kérustum de Quimper. Ensuite, ce furent les années de faculté à Brest en filière psychologie. Pierre abandonna, après la maîtrise, pour travailler durant quelques années dans une grande compagnie d'assurances en qualité de démarcheur avant d'acheter un cabinet à Camaret. Le temps avait passé sans altérer cette sympathie mutuelle.

Thomas avait deviné un empressement chez Pierre et cela l'étonnait. A part, le côté désagréable de recevoir ces lettres, il ne devait pas s'inquiéter. Elles n'avaient aucun aspect délétère ou alors elles étaient liées à des événements méconnus. Dans ce cas, le contenu du mystérieux message n'avait rien d'une plaisanterie et la mairie n'était pas un destinataire anodin pour le ou les auteurs des lettres. Mais inutile d'échafauder : il manquait d'éléments précis.

Il termina de se préparer, enfila son manteau et dévala l'escalier de l'immeuble, sa serviette de cuir à la main, puis il ouvrit la lourde porte d'entrée et se retrouva dans la rue bruyante. Étranger à cette agitation, il marcha d'un bon pas vers la station de métro Voltaire.

V

Camaret.

Les conseillers municipaux arrivèrent un par un dans la salle du conseil. Le maire les avait convoqués pour une assemblée extraordinaire. L'ordre du jour concernait les travaux de réfection du revêtement de la départementale huit et son équipement en nouveaux lampadaires. La rénovation de la chaussée, comprise entre le rond-point de Penfrat et celui de Lagatjar, devenait urgente. Le projet devait être adopté à l'unanimité, ainsi que la participation financière à la charge de la commune. Cette dépense devait être inscrite au prochain budget général.

Pierre Picard et Anne Lestel entrèrent à leur tour dans la salle, accompagnés de l'ingénieur de la Direction de l'Équipement. Ce dernier interviendrait pour les précisions techniques sur la qualité du revêtement de la chaussée.

Le maire pria l'assemblée de prendre place autour de la table du conseil et invita le public à s'asseoir sur les sièges qui lui étaient réservés.

Chacun gagna sa place dans le brouhaha et le bruit

produit par l'entrechoquement des piétements métalliques des chaises et leur raclement sur le plancher. Petit à petit, celui-ci s'estompa enfin pour laisser place aux divers soupirs, toux sporadiques et chuchotements.

Pierre Picard attendit le silence complet avant de déclarer la séance ouverte, d'annoncer l'ordre du jour et de faire l'appel des élus.

Comme à l'accoutumée, deux conseillers, toujours les mêmes, continuaient à parler à voix basse. Leur ordre du jour concernait l'abattage d'un cochon de ferme, le partage des quartiers de viande et le coût de l'opération. Avaient-ils oublié ce qu'ils étaient venus faire à la mairie ? Sûrement. Ignorant l'assistance, ils continuèrent leur discussion sur leurs préoccupations carnées. Le maire fut obligé d'intervenir. Il les remercia pour l'information sur les cours du prix de la viande de porc et leur dit qu'il lui serait agréable d'être leur invité le jour où ils mangeraient le cochon en question. Cela eut pour effet de faire rire la salle, sauf les intéressés.

Enfin, la réunion put commencer.

Pierre Picard demanda aux conseillers de prendre connaissance du dossier disposé devant eux. Il les pria de suivre les commentaires apportés par l'ingénieur. Ce dernier se plaça près d'un paper-board, un gros feutre noir à la main.

L'état de vétusté de la route nécessitait de refaire l'empierrement avant de l'enduire de bitume. Ses services avaient fait des repérages. Il dessina une coupe de la chaussée pour illustrer ses commentaires.

L'aspect technique terminé, il aborda la partie financière et la parité des francs en euros posa des problèmes. Pour les dépenses quotidiennes c'était facile, mais pour des sommes de cette importance, il y avait de quoi s'y perdre !

Les calculettes furent les bienvenues. Cela provoqua un tumulte dans l'assemblée. Des méthodes de conversion furent échangées. Quelques voix anti-européennes en profitèrent pour se faire entendre et citèrent l'exemple le plus édifiant des emmerdements en tous genres qui attendaient les Français face à la tyrannie bureaucratique bruxelloise : celle-ci légiférait, imposait, normalisait, alors qu'elle était bien incapable de situer Camaret sur une carte géographique !

Pierre Picard réclama un peu d'ordre. Il entreprit de communiquer en francs et pria chacun d'y mettre un peu de bonne volonté. Pour les détracteurs de l'Europe, il ajouta au passage que la commune bénéficiait, dans certaines circonstances, d'aides substantielles de sa part.

Le rapport d'un sociologue du CNRS lui revint à la mémoire : plus l'Europe s'élargissait, plus on constatait le schéma réducteur des revendications autonomistes des régions. Pire, l'individu s'identifiait par son appartenance à une cité ou à un groupe, par le langage et la tenue vestimentaire. Le système tribal était de retour.

La présentation prit plus de temps que prévu. Des conseillers très scrupuleux demandaient des précisions. D'autres, plus prompts à la compréhension, attendaient patiemment. Finalement, tous tombèrent d'accord. Le maire put alors réclamer le vote à main levée. Le quitus fut donné à l'unanimité et la réunion, entérinée.

Presque…

Profitant de l'instant de détente qui suivit et lors duquel chacun papotait avec son voisin pour clore la soirée, l'instituteur demanda la parole. Tous les regards convergèrent dans sa direction. Le silence fut immédiat. Ils se méfiaient de ce trublion. Il avait l'art et la manière de transformer un simple problème en une difficulté insoluble. Si sa question parut anodine, le reste le fut moins.

— Cela fait déjà un mois environ qu'il y a eu cet accident à la pointe du Grand Goin, que comptez vous faire ? demanda-t-il au maire.

— C'est déjà fait, tu devrais t'informer, répondit à la volée Jean-Marie Le Doaré, sur le ton fielleux qui lui était coutumier lorsqu'il s'adressait au suppôt local de l'écologie.

L'instituteur ignora ostensiblement la réponse du militaire à la retraite dont la poitrine, les jours de commémorations, s'ornait de médailles à faire pâlir un général russe.

Le professeur des écoles ne le portait pas dans son cœur. La réciprocité de cet antagonisme était due, à n'en pas douter, à leurs divergences politiques.

Le maire répondit que des mesures provisoires d'urgence avaient été prises mais que l'on ne pouvait pas condamner tous les accès du littoral. Bien qu'il regrettât le décès de Jean Raguennès, il appartenait à chacun d'évaluer le danger auquel il s'exposait. L'instituteur en profita pour exprimer sa fibre écologique sur un projet lui tenant à cœur :

— C'est peut-être le moment d'aménager les sentiers côtiers du Styvel à la pointe de Pen-Hir… de baliser les chemins… de les équiper de poubelles mises à la disposition des visiteurs, le long du parcours… Cela éviterait que l'on retrouve des détritus d'emballages alimentaires, des canettes de sodas… Tenez ! Pas plus tard qu'hier, il y avait des peaux de bananes…

— Oui, ces équipements sont prévus. Je travaille sur ce projet avec les responsables du Parc d'Armorique, assura le maire.

— Les peaux de bananes, c'est biodégradable. L'écologie, c'est bien mais ça coûte cher ! ne put s'empêcher de rétorquer, d'un ton narquois, l'ex-militaire.

Le sang de l'instituteur ne fit qu'un tour.

— C'est justement, parce qu'on a laissé faire et pas pris conscience plus tôt que l'écologie coûte cher aujourd'hui… À cause de gens comme vous ! Je ne vais pas entamer le débat "pollueur-payeur", mais la taxe éco existe. Elle doit servir à quelque chose.

Pour Jean-Marie Le Doaré, la ligne rouge était franchie. Il n'avait pas de leçon à recevoir d'un représentant de la gauche décadente et ce n'était pas ce pseudo-révolutionnaire soixante-huitard qui allait tenir tête à un défenseur de l'ordre et de la morale !

— Qu'est-ce que tu nous emmerdes à vouloir dépenser de l'argent pour ce site ! C'est un baisodrome à lapins ! Ça pullule de partout et on n'a même pas le droit d'y aller chasser !

Des invectives furent échangées. Des conseillers s'en mêlèrent.

A propos d'écologie, l'un d'eux proposa que l'on abatte toutes les vaches de la terre. En effet, une étude récente prouvait que ces paisibles ruminantes, par leurs pets chargés de méthanol, étaient responsables de cinq pour cent de l'effet de serre.

La salle s'esclaffa.

Pierre Picard tapa du plat de la main sur la table pour réclamer un peu de silence. Il dit avoir répondu aux attentes de l'instituteur au sujet de l'accident de la pointe du Grand Goin et pensa à mettre un terme à la réunion.

Avant qu'il l'eût annoncé, Yvon Le Saout lança :
— Parlons-en de la pointe du Grand Goin… Jean Raguennès, c'est p'têt pas un accident…

Silence total.

Tous les regards se braquèrent sur lui.

— Ma Doué, qu'est-ce que t'en sais ? Explique-toi donc ! lui ordonna Louise Pensec, commerçante de souvenirs en tous genres, quai Klébler.

— C'est pas un accident que j'dis ! renchérit Yvon Le Saout.

— Ben… C'est quoi alors ? On t'écoute, dit l'adjoint au maire.

— Moi, je dis que c'est aut'chose… On me fera pas croire que Jean, il est tombé tout seul. A sa veuve, non plus.

Le maire s'en mêla.

— Là, Yffic, tu en dis trop… Ou pas assez… Je ne sais pas, mais oui, explique-toi !

Une voix s'éleva :

— Celui-là divague ! Il sait même pas ce qu'il raconte.

Yvon Le Saout se défendit.

— Je sais c'que j'raconte et je répète que, si Jean c'est pas un accident, c'est que c'est pas un accident !

La réponse n'apportait aucun éclaircissement. Tous le regardaient incrédules, ne sachant s'ils devaient attacher de l'importance à ces élucubrations.

Pourtant, cet agriculteur était connu pour son bon sens. Il jouissait d'une certaine estime au sein du conseil municipal.

D'une façon générale, il ne parlait pas pour dire n'importe quoi. Encore moins pour se faire valoir. C'est ce qui les interloquait.

— Tu as peut-être une idée derrière la tête ? insista l'adjoint au maire.

— Oui, mais j'arrive pas à l'expliquer… C'est bizarre… Pour Hervé Traouen, c'est pareil… Vous n'allez pas me dire que…

L'instituteur lui coupa la parole.

— Tu ne vas tout de même pas réveiller tous les morts, Yffic, qu'est-ce qui te prend ?

En effet, qu'arrivait-il à Yvon Le Saout de remettre en cause les circonstances de ces décès ?

Pierre Picard se dit qu'il devait intervenir. Il le pria de garder ses impressions sans fondement. Puis, avant qu'il y eût un nouvel intervenant, il décréta la séance terminée. Les participants quittèrent leur place sans dire un mot, en se regardant d'un air perplexe.

Un groupe prit à part l'agriculteur pour le sommer de s'expliquer. Sans ménagement, le maire les invita à poursuivre hors de la mairie. Il exigea que l'on évacue la salle. Il ne fallait tout de même pas exagérer !

Cependant, le doute s'était immiscé dans les esprits…

Le maire et la secrétaire prirent congé de l'ingénieur.

Pierre Picard et Anne Lestel se retrouvèrent seuls.

La secrétaire ramassa les dossiers oubliés sur la table. Elle les porta dans son bureau et y mit un peu d'ordre. Elle détestait le lendemain reprendre le travail dans une pièce mal rangée. Loin de la maniaquerie, c'est une règle enseignée dans les écoles de secrétariat. Elle coupa son ordinateur, jeta un dernier coup d'œil, éteignit l'électricité, puis retourna à la salle du conseil pour la fermer à clé.

Elle fut étonnée d'apercevoir Pierre Picard, assis, l'air soucieux.

— Pierre, je comprends mieux votre mutisme au sujet des lettres.

— Pourquoi ?

— A la fin de la réunion, je ne pouvais m'empêcher de les regarder, ils sont prêts à faire feu de tout bois.

— Vous voulez parler de l'incartade d'Yvon Le Saout ?

— N… Non, pas particulièrement, mais j'avoue que j'ai été surprise. Ça ne lui ressemble pas.

— Oui, ça ne lui ressemble pas, reprit Pierre Picard, en soupirant. C'est ce qui me semble étrange. Il ne raconte jamais de balivernes… Tout le monde se plaît à dire que Jean Raguennès connaissait la sente, alors pourquoi s'est-il tué ? Yvon Le Saout a peut-être le mérite de ne pas accepter la thèse confortable de l'accident et même, un mois après, d'avoir le courage de le dire… Sur le coup, j'étais en colère mais, avec du recul, je me pose des questions…

— Je ne vous comprends pas. Les gendarmes en sont convaincus. Quant à Hervé Traouen… C'est du délire… Bon, admettons que ce ne soient pas des accidents, vous n'allez tout de même pas me dire qu'ils se sont suicidés tous les deux ?

— Non… Non…

Il se leva tout en pensant : « Autre chose. Peut-être, autre chose de plus grave… »

— J'ai hâte que mon ami vienne. Nous devons encore patienter une quinzaine de jours. Allons, il est tard, dit-il. Je crois que nous devrions partir.

Il prit son pardessus et l'enfila. Dans sa tête, tout se bousculait. Lui aussi commençait à douter.

Anne Lestel le regardait, désappointée.

Pierre Picard prit le manteau de la secrétaire et le lui tendit galamment. Elle se présenta de dos. Accaparé par ses pensées, il garda, quelques secondes de trop, ses mains sur les épaules de la secrétaire. Troublée, elle pivota. Elle se retrouva face au maire… Tout près.

Tout se passa vite.

Pour Anne Lestel, il n'y avait pas d'équivoque. Elle se pelotonna contre Pierre Picard. Celui-ci, surpris, fut décontenancé. Il serra la femme dans ses bras et l'embrassa.

Les premiers émois passés, il dit :

— Partons d'ici avant que quelqu'un nous surprenne. Je vous… Je te raccompagne ?

Ils rirent de connivence.

Dehors, de lourds nuages noirs, poussés par un vent d'ouest, défilaient devant la pleine lune.

*

* *

Yannick Inizan arrêta sa voiture dans la cour de sa petite propriété, une ancienne ferme rénovée par lui et située dans le hameau de Lannilien.

Il descendit du véhicule pour ouvrir le hayon du coffre. Après sa journée de travail à l'étude notariale de Crozon où il était employé en qualité de clerc, il s'était arrêté au supermarché pour y faire quelques provisions. En quittant le magasin, il avait rencontré Joseph Chapalain, un membre du comité des fêtes de Camaret. Yannick Inizan en était le trésorier. Ils avaient pris un verre et beaucoup bavardé. Cela l'avait retardé. Il avait préféré aller directement à la mairie pour assister à la séance du conseil municipal. Il n'en manquait jamais une. Ce soir, il était parti avant la fin.

Les travaux de réfection de la départementale huit ne l'intéressaient guère ; de plus, il se sentait fatigué. Pourtant, à la maison personne ne l'attendait. Sa mère, handicapée depuis de nombreuses années, était décédée six mois auparavant.

Elle avait gâché sa vie d'homme par sa possessivité, entretenant avec son fils une relation refoulée quasi-incestueuse. Elle avait donc fait fuir les quelques rares prétendantes auxquelles elle ne trouvait aucune qualité. Il ne s'était jamais révolté contre cet arbitrage maternel abusif, par compassion, mais aussi par pusillanimité.

A quarante-cinq ans, il subissait la névrose de sa mère et se sentait mal à l'aise en compagnie des femmes, ce qui lui valait d'essuyer les lazzis des autres hommes, surtout lorsqu'ils étaient en groupe.

Son physique quelconque ne le favorisait pas. Il en était conscient mais se plaisait à espérer. Dernièrement, il avait entendu à la radio une émission sur les femmes. Actuellement, leurs fantasmes se portaient sur les hommes sexy-moches. Fort du message, il s'était dit que l'insondable mystère féminin pouvait encore lui réserver des surprises.

Encombré par la caisse de victuailles prise dans le coffre, il se contorsionna pour la retenir tout en introduisant la clé dans la serrure de la porte d'entrée. Il n'avait pas eu la présence d'esprit de poser tout simplement la charge par terre pour effectuer cette opération. Le verrouillage de la porte était plus une manie rassurante qu'une sécurité. On pouvait entrer librement dans la cuisine par l'une des deux dépendances situées de chaque côté de l'habitation principale. Ce bâtiment n'était jamais fermé à clé.

Le hameau de Lannilien ignorait la délinquance. Il y avait toujours une sentinelle à quatre pattes pour donner l'alerte et intimider les importuns, ainsi les quelques rares touristes qui s'y égaraient l'été.

Yann Inizan répartit ses achats dans le placard et le réfrigérateur. Il prit une barquette d'un plat préparé surgelé et la mit dans le four à micro-ondes. Depuis qu'il vivait seul, il ne cuisinait plus.

Il s'installa dans le salon pour dîner. Prendre ses repas devant la télévision était devenu une habitude pour meubler ses soirées. Le midi, il mangeait au restaurant à Crozon. Toujours le même, près de l'église. Le patron et les employés dc l'ćtablisscment le connaissaient bien et le choyaient. Il appréciait leurs attentions et c'était pour lui des repères rassurants. Être connu.

Il disposa ses couverts sur la table basse. Pour ne pas l'abîmer, il mettait toujours une petite nappe. Sa mère n'aurait certainement pas aimé. Les repas devaient être pris dans la cuisine. A heures fixes. Lorsqu'elle était encore en vie, il ne dérogeait pas à cette exigence sinon elle lui faisait des reproches le restant de la soirćc. Elle citait l'exemple de son père, lui ne se serait jamais permis un tel manquement, ou alors c'était le souvenir exagéré de cet homme, disparu en mer d'Irlande, dont elle ressassait les sempiternelles qualités pour voiler la triste réalité d'avoir passé des années auprès d'un mari alcoolique et brutal.

Il n'était pas dupe, mais ne disait rien.

Dans un coin du salon, le fauteuil roulant de sa mère était toujours là. Il n'osait pas s'en débarrasser. Il culpabilisait. Pourtant, en rentrant dans la pièce, la vue de cet objet le heurtait. Il ravivait le souvenir de cette femme. Il en souffrait et il en était conscient.

Il s'assit dans l'un des fauteuils après avoir allumé le poste de télévision. Il prit en cours une émission de variétés où se trémoussaient des invités frappant sottement dans leurs mains, la mine hilare, pour accompagner leur chanteur préféré. Le malheureux bêlait son amour pour une belle inconnue, indifférente à son désespoir. Le décor était éblouissant. Les spots lumineux projetaient une myriade de couleurs au rythme de la musique.

Il saisit la télécommande et passa en revue les différentes chaînes. Il s'arrêta sur la chaîne européenne. Elle diffusait un reportage sur Glenn Gould en studio. L'artiste dont l'obsession de la perfection était absolue travaillait durant des heures sur le clavier de son piano *La messe en si mineur*. Seul avec Bach, il oubliait le temps, épuisant les ingénieurs du son.

On frappa à la porte. Qui pouvait lui rendre visite à cette heure ? Il eut un signe d'agacement et alla voir à contrecœur.

C'était Louis Madec. Un voisin, surnommé P'tit Louis à cause de sa taille. Affecté d'une légère claudication, sa démarche le faisait ressembler à un Culbuto. Il était là, sur le pas de la porte, le béret au ras des lunettes.

Il leva la tête en grimaçant derrière ses verres épais, pareils à des culs de bouteilles. Mal rasé, le visage sillonné de rides, il ouvrit une bouche édentée laissant apparaître de repoussants chicots.

— C'est moi, Yann.

— Ben, je vois bien Louis, qu'est-ce qu'il y a ?

— Tu sais bien, c'est à propos des terrains que j'ai vendus, ceux de Lambesen. C'est pour l'héritage des enfants. Il faut que ça soit en règle, Yann.

— Certainement, Louis. Ici, je ne peux rien faire. Je te l'ai déjà dit, il faut que tu passes à l'étude. Viens demain, je m'en occuperai.

— Bon, à demain alors ?

— C'est ça, Louis, à demain. Kenavo.

Il referma la porte. C'est vrai, il avait promis à Louis Madec qu'il s'en chargerait. Cette affaire traînait, mais que pouvait-il faire de plus si Louis ne venait pas à l'étude ?

Il se réinstalla à table. Il remit l'un des coins de sa serviette dans l'encolure de sa chemise et continua à manger. Glenn Gould se déhanchait sur son siège. Ses doigts allaient des graves aux aiguës avec une agilité incroyable. Puis, une main figée au-dessus du clavier, l'autre pendant le long du corps, le menton rentré dans le cou et les yeux fermés, l'artiste tenait en suspens le temps d'un silence et repartait de plus belle.

Yann Inizan n'avait plus faim. Il en avait assez de ce plat préparé. Il préféra un fruit et se leva pour en prendre un. On frappa à nouveau à la porte. Décidément, ce soir, Louis Madec ne le lâchait pas. Que voulait-il encore ?

Il ouvrit la porte d'entrée. Il fut surpris.

— Euh… Oui, c'est pourquoi ?

Il retira sa serviette. Sur le perron se tenait un homme. Son visage ne lui était pas inconnu. Il l'avait déjà vu quelque part, mais où ? Il n'arrivait pas à s'en souvenir.

— Monsieur Inizan ? Je souhaiterais m'entretenir avec vous.

— Oui… Oui, entrez.

Il ouvrit plus largement la porte et s'effaça pour laisser passer l'individu. Vingt et une heures trente passées, il aurait dû refuser… Il avait le droit d'être tranquille chez lui, mais il ne savait pas dire non. Toujours ce manque de courage. Trop tard pour le regretter.

Que voulait-il d'abord ? Il referma la porte et invita l'homme à entrer dans le salon en lui indiquant la direction d'un geste de la main. Il s'excusa d'être à table.

— Vous souvenez-vous du projet du terrain de golf, monsieur Inizan ?

— Si je m'en souviens ? Oui, bien sûr. Quelle histoire !

— C'est bien vous qui aviez établi les actes notariés ?

— Oui, enfin, l'étude pour laquelle je travaille. J'ai mené les transactions. Je suis au courant du dossier. Tenez, asseyez-vous. Il désigna un fauteuil. Je débarrasse la table, j'en ai pour une minute…

Quand on lui parlait de travail, il était à son affaire, surtout pour le terrain de golf. Son patron l'avait félicité.

Il eut une suspicion. Cet homme avait l'air étrange. Depuis qu'il était entré, il n'avait pas sorti les mains de ses poches. Même maintenant qu'il était assis. Il prit son couvert et tourna le dos pour aller à la cuisine.

Tout à coup, il lâcha l'assiette. Elle tomba sur le tapis.

Son premier réflexe fut de porter ses mains à sa gorge pour desserrer l'étreinte. Effort inutile. Il ne parvint pas à glisser ses doigts entre son cou et la corde. Il se débattit… fut déséquilibré en arrière. Il essaya de faire pénétrer l'air dans ses poumons mais la corde serrait… De plus en plus… Il souffrait terriblement… Sa tête allait éclater. Il suffoqua. Il émit un râle. Sa vue se troubla… Un violent coup sec le tira vers le haut. Il entendit le craquement des vertèbres. Avant que tout devienne noir, il eut une dernière vision. Bien sûr, il connaissait ce type. Il l'avait rencontré à…

L'homme serra la corde avec une rage froide. Il sentit les derniers soubresauts grotesques du corps. Vaine tentative des organes qui voulaient, dans une ultime volonté, reprendre leur fonction.

Il assura l'étreinte jusqu'à ce que le corps se relâchât.

C'était fini.

Après l'effort qu'il venait de fournir, il s'assit dans un fauteuil et regarda le corps de Yannick Inizan. Il ne devait pas s'attarder. Il se leva et enjamba le cadavre pour aller fermer la porte de l'entrée à clé, puis il inspecta la maison.

Rien ne lui convenait vraiment.

Il ouvrit la porte de la cuisine débouchant sur la dépendance. Il éclaira la pièce et leva les yeux vers le plafond. Des poutres apparentes… C'était parfait ! Un peu hautes cependant. Comment allait-il s'y prendre ? Il chercha.

Une demi-heure après, le corps pendait au bout de la corde au-dessus d'une chaise renversée. Il retourna dans le salon et ramassa l'assiette et les couverts tombés à terre. Il les déposa dans l'évier de la cuisine. Il vérifia une dernière fois que tout était en ordre.

Il entrouvrit doucement la porte cochère de la dépendance pour s'assurer que la voie était libre et disparut dans la nuit.

Un chien aboya, puis deux.

VI

Paris.

Place de la Concorde, Léa progressait dans le flot des voitures au rythme imposé par la circulation. Elle tempêtait à son volant, admonestant un automobiliste qui avançait comme une tortue ou un autre qui changeait de file sans signaler sa manœuvre.

Thomas lui demanda de se calmer.

Sur sa gauche, elle laissa les Tuileries pour emprunter le pont de la Concorde puis elle obliqua sur sa droite pour s'engager sur le boulevard Raspail, plus calme. Assis à côté d'elle, Thomas faisait la relecture du premier chapitre de son prochain livre en se maintenant à la poignée située au-dessus de la portière.

Durant son absence, Léa remettrait les documents à l'éditeur. Celui-ci devait donner son avis sur le style. C'était la première fois qu'il écrivait pour un large public. Rue de Rennes, Léa pila à un feu rouge pour ne pas emboutir un véhicule devant elle. Les feuilles que Thomas tenait sur ses genoux s'éparpillèrent à ses pieds.

— Désolée !

Il la regarda sans rien dire, considérant qu'il était un peu fautif de ne pas avoir anticipé cet incident, pourtant prévisible.

Ils arrivèrent aux abords de la gare Montparnasse et cherchèrent sans succès une place de stationnement. Thomas lui conseilla de se garer en double file. Il était inutile qu'elle l'accompagne.

Elle l'aurait bien voulu. Elle en fut contrariée et lui prodigua quelques derniers conseils attentionnés et superflus, comme l'aurait fait toute femme aimante. Il lui sourit et lui dit de ne pas s'inquiéter. Il ne partait pas à l'aventure vers des terres hostiles.

Il prit son sac sur le siège arrière et embrassa Léa, puis lui fit un au revoir de la main. La voiture disparut aussitôt, happée par la file dans laquelle elle s'était engagée.

Le parvis éventé de la gare ne dissuadait pas les sans-abri de plus en plus nombreux. Agora des laissés pour compte, miroir d'une société de plus en plus individualiste. Des CRS, parqués dans un car aux vitres grillagées, veillaient. Thomas emprunta l'escalator menant aux quais en effervescence.

Il leva le nez vers le panneau des départs. Les chiffres et les lettres défilaient en cliquetant, puis s'immobilisaient pour afficher les destinations et les horaires des trains.

Il repéra un distributeur automatique de billets grandes lignes. Il sélectionna les différents paramètres sur l'écran digital et attendit un instant avant que l'automate rejette brusquement le billet, comme s'il lui tirait la langue. « Merci Einstein ! », se dit-il.

Il devait encore patienter avant son départ. Il alla au kiosque à journaux et fit le choix de quelques revues pour le trajet, puis il retourna dans le hall central et s'installa à la table d'une terrasse pour y prendre un café.

Il observa cette faune bigarrée itinérante s'agitant dans tous les sens. L'inquiétude de ne pas être à l'heure pour embarquer se devinait dans les regards stressés. Le téléphone portable était devenu l'objet indispensable et rassurant. Ostensiblement à portée de main comme un inséparable doudou, remède à l'angoisse de cette génération de kidult. Il les imaginait alternant le travail, la vie de famille, la soirée shoot entre amis. Tenues vestimentaires et comportements soumis à la dictature des apparences.

Thomas de Rosmadec remarqua un enfant noir d'une dizaine d'années. Leurs regards se croisèrent un court instant. Peut-être attendait-il ses parents ? Rien ne le laissait paraître. Son attitude était plutôt celle d'un enfant errant dans la gare. Thomas observa son manège.

L'heure du départ approcha.

Il mit son sac en bandoulière et se dirigea vers la voie numéro quatre, destination Quimper via Rennes.

Il marchait le long du train à la recherche du wagon quand il sentit qu'on tirait discrètement la manche de sa veste.

Il se retourna et fut surpris de revoir le gamin.

— S'il te plaît, Monsieur, t'as pas un euro ?

— …?

Rares étaient les jeunes noirs faisant la manche. Ce garçon avait l'air en bonne condition physique. Ses vêtements, quoique légèrement défraîchis, ne reflétaient pas l'indigence. Thomas posa son sac à terre et plongea la main dans la poche de son pantalon pour prendre son porte-monnaie. Il fit rapidement l'inventaire des pièces. Il en sortit une, de deux euros.

— Tu es seul ? Où sont tes parents ?

L'enfant, gêné, tritura la pièce entre ses doigts. Il eut un léger mouvement de recul. Il regarda le sol en haussant les épaules mais ne répondit pas à la question. Thomas posa une main affectueuse sur les cheveux crépus de l'enfant.

— Bonne chance à toi !

Une voix féminine annonça dans les haut-parleurs le départ imminent du Paris-Quimper. Dans trois minutes exactement. Il pressa le pas.

Quelques personnes attendaient le départ en faisant des signes de la main à des voyageurs embarqués. Après avoir fait seulement quelques pas, il repéra la bonne voiture. Il jeta un dernier coup d'œil sur le quai. L'enfant noir le fixait du regard. Thomas monta à bord. Il fut étonné de voir si peu de voyageurs. La moitié du wagon était vide. Il repéra sa place. A peine fut-il installé qu'il entendit un coup de sifflet. Le train démarra.

Une voix nasillarde annonça les gares desservies, un agréable voyage fut souhaité aux voyageurs. Un bar était à leur disposition.

Il regarda défiler les derniers immeubles parisiens qui bordaient la voie. Si près des rails, comment pouvait-on supporter le trafic ferroviaire ?

La place voisine était libre. Il prit ses aises et cala son dos entre le dossier du siège et la paroi du wagon. La réverbération du soleil sur la vitre lui chauffa le visage et le plongea dans l'apathie. Il ferma les yeux et pensa à Léa, cette femme prévenante, active, un peu bohème, avec laquelle il partageait maintenant sa vie.

Ils avaient en projet de quitter la capitale. Fuir cette agitation, le bruit, l'air pollué, les embouteillages… Léa n'avait pas pu se libérer pour l'accompagner à Camaret. Lui-même ne savait pas pour combien de temps il s'absentait. Une semaine ou peut-être deux…

Avec son associée, Léa devait visiter le Salon du Livre.

Leur première activité à la boutique était conventionnelle. La deuxième par Internet l'était moins. Elle concernait la recherche et la vente d'ouvrages rares ou d'exemplaires numérotés, destinés aux bibliophiles. Léa lui avait expliqué le jeu subtil de la surenchère. Elle et son amie ne se positionnaient pas en intermédiaires mais en acheteuses. Quelquefois, elles essuyaient des échecs face à des collectionneurs fortunés, prêts à tout pour posséder l'objet rare. C'était une question de rapidité dans la négociation avec le vendeur, avant qu'il n'y ait trop d'offres d'achat. Elles attendaient quelque temps et remettaient l'ouvrage sur le marché en faisant une plus-value. Il y avait toujours des passionnés pour y mettre le prix. Artificielle valeur d'un objet soumise à la subjectivité des collectionneurs…

Il somnola, bercé par le bruit cadencé des roues sur les rails. Le train filait maintenant en rase campagne.

Le Mans. Il prit l'un des magazines qu'il avait achetés. Son titre, *Balades en Bretagne*, et la photo de la couverture en papier glacé avaient attiré son attention. Il s'agissait d'un reportage sur les lieux de sa destination, la presqu'île de Crozon et le pays Porzay. On y vantait la richesse du patrimoine religieux et culturel de ces vingt et une communes, les randonnées à faire à pied, à vélo, les plages de sable fin de Pentrez, Trez Bellec et Kervel qui s'étendaient sur plus de vingt kilomètres.

Laval. Un contrôleur passa dans l'allée centrale. Une vieille dame l'interpella. Confuse, elle lui tendit son billet d'une main tremblante. Elle avait oublié de le composter. Il la rassura. Aujourd'hui, ils étaient en grève sur tout le réseau. Cela ne l'empêcha pas de poinçonner le titre de transport.

Rennes. Thomas situait la ville à peu près à la moitié du trajet. Dix minutes d'arrêt. Il les mit à profit pour se dégourdir les jambes en descendant sur le quai. Il sentit la température à la baisse. Le ciel s'était couvert, il y avait du vent. Il regagna sa place. Sur le siège situé derrière le sien, un passager dormait, recroquevillé, le visage caché par la capuche de son sweat-shirt pour se protéger de la lumière.

Thomas s'assit. Il prit le journal *Le Monde*. Le quotidien confirmait en première page la grève des contrôleurs de la SNCF. Revendications salariales et inquiétudes sur une éventuelle compression du personnel. Un dessin humoristique de Plantu illustrait le titre.

Le train s'ébranla, puis prit de la vitesse. Encore deux heures de voyage ponctué d'arrêts plus fréquents. Les derniers kilomètres seraient interminables. A bien y réfléchir, il aurait dû prendre l'avion. Même en subissant les embouteillages pour atteindre l'aéroport d'Orly, il aurait au moins gagné ces dernières heures de trajet.

A Quimper, il devait louer une voiture pour se rendre à Camaret où il arriverait à une heure tardive. Il appellerait son ami le lendemain matin.

*
*   *

Depuis la dernière réunion du conseil municipal, la vie d'Anne Lestel était transformée. Que pouvait-elle espérer de mieux ? Pierre l'aimait. S'il n'avait pas manifesté ses sentiments, elle aurait certainement quitté Camaret et postulé pour un emploi similaire dans une autre ville.

Même si les mœurs avaient évolué, leurs statuts respectifs de maire et de secrétaire de mairie les obligeaient à une certaine discrétion pour ne pas choquer certains administrés. Pierre était d'accord, à l'avenir l'officialisation de leur relation serait la meilleure réplique pour faire taire les ragots, mais il était encore trop tôt. Depuis, elle vivait dans la félicité. Cela dépassait ses espérances.

Face à son ordinateur, elle préparait la publication des bans d'un futur couple. Un sous-officier de la royale et une aide-soignante de l'hôpital de Brest. A la place, elle s'imaginait inscrivant son état civil et celui de Pierre.

Le téléphone la tira de sa rêverie. La secrétaire de l'accueil lui annonça la visite de Paul Grimaud.

Hormis la nécessité de préserver la confidentialité d'un entretien, la porte de son bureau était toujours ouverte. Elle accueillit l'artisan d'un ton enjoué.

— Bonjour Paul, veux-tu un café ? J'allais justement en prendre un. Depuis ce matin, à part la pause du déjeuner, j'ai l'impression de ne pas avoir arrêté un seul instant !

— Avec plaisir, mais sans sucre.

Elle disparut dans une petite pièce contiguë. Elle prit de l'eau chaude au distributeur toujours sous tension ainsi que deux gobelets en plastique et des sticks de café lyophilisé. Elle revint et lança :

— Quel bon vent ?

— Rien de particulier, je passais par là.

— Ça tombe bien ! Je comptais te téléphoner pour savoir si tu es libre samedi matin pour donner un coup de main aux membres du comité des fêtes. Nous devons emprunter des sièges au club nautique. Il n'y en a pas suffisamment dans la salle polyvalente, sans compter ceux qui sont hors d'usage.

— Bien sûr. Pas de problème !

Il souffla sur son café pour le refroidir.

— A propos du comité des fêtes, tu es au courant, Paul ?

— Non… Au courant de quoi ?

— Yann Inizan… Il s'est suicidé… P'tit Louis, son voisin, l'a trouvé pendu dans l'une des dépendances de sa maison.

— Ah, bon ! Ça s'est passé quand ?

— Il y a une quinzaine de jours.

— On connaît la raison ?

— Non. On suppose qu'il a mal supporté le décès de sa mère. Quoiqu'on en dise, il y était attaché. Pourtant il n'a pas eu une vie facile avec elle… Je pensais que c'était une délivrance pour lui… Enfin…

— Il était certainement dépressif…

— Les premiers jours de deuil passés certainement, mais par la suite il n'a rien laissé paraître qui puisse justifier un tel acte… Ah ! Et depuis que je ne t'ai pas vu, nous avons aussi reçu une autre lettre anonyme.

— Pierre est toujours sur la même réserve ?

— Oui.

Elle ajouta qu'il attendait la venue de son ami. Il pouvait beaucoup les aider. Son arrivée à Camaret était prévue le jour même, dans la soirée.

*

* *

Le train arrivait en gare de Quimper. Les voyageurs s'agglutinèrent dans le couloir central du wagon, pressés de mettre un terme à ce long voyage. Thomas les imita. Il ôta son sac du porte-bagages et se mit aussi dans la file d'attente, sans un regard pour le siège où il avait passé plus de cinq heures. Ses jambes étaient ankylosées et il éprouvait le besoin impérieux de marcher.

Enfin, le convoi s'immobilisa, avec un léger mouvement de recul qui fit perdre l'équilibre aux étourdis qui n'avaient pas prévu d'appui. Mal campés sur leurs jambes, ils étaient obligés de se contorsionner, en bousculant un tant soit peu leur voisinage et en s'excusant d'être aussi gauches.

Thomas posa le pied sur le quai de la gare. Il mit son sac à terre pour y ranger les revues qui lui encombraient les mains et en profita pour renouer un lacet de chaussure.

Alors qu'il était accroupi, il eut le sentiment d'être observé. Il se releva lentement et se retourna. Il resta éberlué et n'en crut pas ses yeux. Il eut l'impression de ne pas avoir voyagé : l'enfant noir le fixait du regard ! Thomas revivait exactement la même scène, qu'à son départ de Montparnasse…

Le quai s'était vidé des voyageurs. Seules, cinq personnes manifestaient le plaisir de leurs retrouvailles. Thomas dut accepter l'évidence : l'enfant n'était pas accompagné.

Il alla vers lui pour en avoir le cœur net.

— Qu'est-ce que tu fais là, tu es seul ?

Le gamin haussa les épaules et resta muet.

Cette question se passait de réponse.

— Tu m'as suivi ?

L'enfant leva la tête en fronçant le nez. Il acquiesça sans prononcer une parole. Thomas était sidéré.

— Ce n'est pas possible ! J'hallucine… Comment tu t'appelles ?

— Ali Traoré.

— Bon, Ali, tu as fait une grosse bêtise. Je ne sais pas pourquoi tu m'as suivi, mais je ne peux pas te laisser ici. On va voir le chef de gare tous les deux. On va lui expliquer. Il appellera la police… Et la police te ramènera chez toi… C'est tout.

Le gamin recula d'un pas.

— Non ! Je veux pas la police et je veux pas retourner chez la grosse Lucie…

Bien… bien… T'énerve pas… La police ne te mettra pas en prison… D'abord, c'est qui la grosse Lucie ?

— C'est elle qui s'occupe de moi, elle me bat toujours, elle dit que je ne fais que des conneries !

— C'est certain, quand elle te reverra, elle ne t'accueillera pas à bras ouverts…

L'enfant avait l'air désemparé. Il semblait prêt à s'exposer aux dangers de la rue pour ne pas retourner chez lui. Or, un gamin livré à lui-même pouvait subir un tas d'aventures, les journaux relataient assez d'atrocités. Thomas pensa que contraindre l'enfant n'était pas une solution. Il devait rétablir la confiance par le dialogue et surtout éviter qu'il s'enfuît.

— Ali… toi et moi, on va discuter, mais pas ici. Viens ! On va au buffet de la gare, tu dois certainement avoir faim et soif.

L'enfant répondit oui en hochant la tête. Thomas reprit son sac. Il se dirigea vers le hall de la gare. Après avoir fait quelques pas, il se retourna. Ali n'avait pas bougé. Il s'écria.

— C'est un piège !

Thomas ne répondit pas et continua. Il entendit l'enfant qui courait vers lui.

— Attends-moi, Monsieur !

Ali le rejoignit, mais en gardant entre eux une distance respectable, au cas où… Allez savoir ce qui peut parfois se passer dans la tête d'un adulte…

Attablé au buffet de la gare, Ali mordait à pleines dents un sandwich au poulet accompagné d'un coca. Thomas lui conseilla de prendre son temps et lui posa des questions pour en savoir davantage.

Ali était venu en France avec sa mère. Elle était tombée gravement malade et avait préféré retourner au Mali pour mourir. Elle ne voulait pas que son enfant retourne au pays. Il y avait trop de misère. Il était mieux ici, même si c'était difficile, il avait plus de chance pour son avenir. Avant de partir, elle avait confié son unique fils à la grosse Lucie. Il avait eu beaucoup de chagrin. Son père, il ne l'avait jamais connu. Sa mère lui avait dit que c'était un blanc. Il était venu en Afrique pour travailler. Il était reparti. C'est pour cela qu'il avait la peau aussi claire.

Thomas lui dit qu'à cette heure, Lucie avait certainement prévenu la police. L'enfant eut un rire moqueur. Il lui répondit qu'elle avait trop la trouille, c'était une sans-papiers ; la police, elle l'évitait. Il en avait plus que marre de cette femme autoritaire. Elle répétait sans cesse qu'il ne ferait rien de bon dans la vie, qu'il ne lui causait que des emmerdes.

En ce moment, elle ne devait pas beaucoup le regretter.

— Toi aussi, tu es sans papiers ?

— Ben oui, répondit Ali, avec une pointe de défi.

— C'est certain, si je te remets à la police, tu iras dans un foyer en attendant d'être rapatrié.

— C'est quoi, rapatrié ? demanda Ali.

— On te ramènera dans ton pays, le Mali.

— Non, je veux pas retourner, je connais personne et je veux pas aller dans un foyer, ils me battront.

— Ne dis pas de bêtises.

— Je t'assure… Si… C'est des grands qui me l'ont dit.

Thomas ne savait plus que penser. Quelle était la part de vérité dans le récit de l'enfant ? Une certitude, il ne voulait plus retourner chez la grosse Lucie. Apparemment, elle l'avait pris en grippe. En remettant le gamin aux autorités, son entourage serait, à n'en pas douter, inquiété pour des problèmes d'immigration clandestine, à commencer par la grosse Lucie.

Ces gens vivaient dans la précarité, la plupart étaient exploités par des employeurs sans vergogne pour des travaux ingrats. Ils ne pouvaient rien dire parce qu'ils étaient dans l'illégalité. Victimes, comme cet enfant, des coutumes de leur pays. Un membre de la famille devait s'expatrier pour subvenir aux besoins des siens restés sur place.

Victimes aussi de la politique de l'immigration ambiguë d'un pays dont les gouvernements successifs n'osaient prendre en charge la régularisation de ces clandestins, après avoir prôné la France terre d'asile et des Droits de l'homme !

Thomas regarda l'heure à sa montre. Les guichets de location de voitures allaient bientôt fermer. Il devait prendre une décision concernant Ali. Que faire de l'enfant ? Le confier à un commissariat était ajouter de la détresse supplémentaire à cette jeune vie déjà bien tourmentée. C'était aussi, lui semblait-il, rejeter sa confiance. Pourquoi avait-il porté son dévolu sur lui, alors qu'il avait croisé des centaines de personnes au cours de son errance ? Le garder en attendant de trouver une solution ? Il se mettait dans l'illégalité, mais ce problème humain dépassait ce cadre.

Il était prêt à assumer cette responsabilité. Il avait prévu de rester deux semaines, au plus, à Camaret. Il pouvait prendre l'enfant en charge en le signalant à son arrivée à la gendarmerie, puis il le ramènerait à Paris chez la grosse Lucie. C'était sans doute la solution la moins traumatisante.

Il regarda Ali qui calait sur son sandwich.

— Ali, tu viens avec moi. Pas longtemps. J'ai besoin de réfléchir, de demander conseil, mais je veux que tu comprennes qu'en te gardant, je risque à mon tour d'aller dans un foyer… moins plaisant que celui où tu irais. On a l'air malin, c'est toi ou c'est moi !

Ali sourit pour la première fois.

— Allez, bonhomme, on s'en va !

— On va où ? demanda Ali, enfin rassuré.

— Au bout du monde, tu verras, il y a la mer !

— Ouais… Super !

Le choix du véhicule se porta sur une petite cylindrée. Une Peugeot 306.

Thomas quitta Quimper en empruntant la départementale qui menait à Locronan.

Le soleil couchant dessinait un disque de couleur orangée, voilé par un ciel brumeux. A cette saison, il déclinait vite en abandonnant la campagne au froid. La fumée au-dessus des cheminées des habitations semblait immobile dans un air chargé d'humidité. Les parcelles, délimitées par de petits talus, formaient un camaïeu de verts. Les arbres encore squelettiques commençaient à bourgeonner. Prémices du réveil de la nature qui sortait lentement de sa torpeur hivernale.

Jusqu'à Locronan, Thomas et Ali firent plus ample connaissance. Depuis combien de temps le gamin s'était-il enfui de chez la grosse Lucie ? Trois jours seulement. Il s'était nourri en faisant la manche ou en volant dans les supermarchés proches de la gare Montparnasse. La nuit, il se cachait dans un parking souterrain. Il dormait à même le sol sur un carton, près d'un mur attenant à une chaufferie. Thomas lui fit remarquer que c'était de la folie, sa cavale n'aurait pas duré longtemps. Il avait eu de la chance de ne pas avoir été contrôlé dans le train. Ali répondit qu'il connaissait des combines. Les grands lui avaient appris comment faire. Thomas en doutait. Il restait persuadé qu'il avait bénéficié de la grève des contrôleurs…

Ils traversèrent Locronan, cette ancienne cité de la Compagnie des Indes et de tisserands aux solides bâtisses de pierre du XVIIe et XVIIIe siècles. Aujourd'hui, au solstice d'été, on y fête encore la Troménie. Puis ils traversèrent Plonévez-Porzay, Ploéven, Plomodiern, toutes aussi riches de leur passé religieux.

Ils passèrent enfin le Menez-Hom et son sommet le Yed qui culmine à trois cent trente mètres et offre une vue panoramique sur la baie de Douarnenez, la rade de Brest et la vallée de l'Aulne.

Thomas conta à Ali que ce mont était peuplé de lutins appelés les korrigans. L'enfant écoutait, subjugué. L'atmosphère surnaturelle qui émanait des lieux à la tombée de la nuit était favorable à la fantasmagorie. Au pays d'Ali, il y avait aussi des esprits malins. Sa mère le lui avait raconté.

Il s'agrippa à la poignée de la portière quand Thomas amorça la descente vers la gare d'Argol. La route, faite de lacets serrés et successifs, surplombait sur la gauche le petit village de Saint-Nic, ensuite une ligne droite menait au bourg de Telgruc, berceau de la famille Rosmadec.

A présent, Thomas roulait vers Crozon à la lueur des phares. Ali s'assoupissait. Il pensa que l'enfant, après toutes ces émotions, avait besoin d'une bonne nuit de repos. Il dépassa la ville et l'unique feu de signalisation du parcours pour arriver sur la portion de voie séparant l'étang de la plage de Kerloc'h. Les crêtes des vagues phosphoraient à la lueur de la lune.

La rue des Quatre Vents débouchait sur le quai Kléber. Thomas prit conscience du surréalisme de la situation : il débarquait à Camaret, en cette fin de mois de mars, accompagné d'un petit Malien. Il gagna le quai Toudouze et le longea au ralenti. Tous les commerces étaient fermés, sauf un bar. Plus loin, du côté du quai du Styvel, il repéra une enseigne lumineuse bleue.

C'était un hôtel de construction récente, "Le Neptune". Il secoua Ali pour le réveiller. L'enfant se frotta les yeux. Il regarda autour de lui avec étonnement et demanda à Thomas s'il était arrivé chez lui. Celui-ci répondit que non. Il habitait à Paris, ici il logerait à l'hôtel.

Ali retrouva sa vivacité et descendit de la voiture. Il se recroquevilla en rentrant ses mains dans ses manches.

— Ouah ! Il fait froid !

Thomas prit son sac et ferma les portières du véhicule.

Dans le hall d'entrée, le décor sans fioritures évoquait l'environnement marin. L'ambiance était sobre et feutrée, comme le recherchait la clientèle des établissements de ces chaînes hôtelières. Il faisait une température agréable.

Une jeune femme vint au devant d'eux en souriant. Thomas devina un léger étonnement dans son regard en apercevant le duo, un homme élégant à l'allure décontractée et un enfant de race noire, vêtu d'un jogging élimé et de chaussures usagées.

— Une chambre avec deux lits, vous avez ça ? demanda Thomas.

— Pour combien de nuits ?

— Je n'en sais rien, probablement une semaine.

La femme passa derrière le comptoir de l'accueil

et pianota sur le clavier de l'ordinateur dissimulé dans un meuble.

— C'est à quel nom ?

— Rosmadec… de Rosmadec.

— En principe, les chambres se règlent à l'avance. Je fais une exception. En cette saison, nous n'avons pas beaucoup de clients, vous m'avertirez de votre départ la veille…

— Pouvons-nous dîner ?

— Bien sûr. Installez-vous dans votre chambre et je suis à vous. Elle tendit la clé.

La pièce, aux tons bleus et blancs, était spacieuse. Ali détaillait tout.

— Ouais, y a même la télé !

Thomas lui attribua un des deux lits. Ali s'allongea dessus pour le tester, puis se mit debout et sauta. Peine perdue et légère déception, il ne rebondissait pas. Il alla visiter la salle de bain. Nouvelle exclamation de surprise.

— Après le dîner, tu prendras un bain. Demain, je t'achèterai quelques vêtements de rechange.

La jeune femme leur indiqua une table. Pendant le service elle ne cessa de regarder Ali. L'association insolite de cet homme et de cet enfant l'intriguait. Thomas le comprit.

Il engagea la conversation et lui proposa de prendre le dessert avec eux. Décontenancée par l'invitation, elle parut hésitante, puis finit par accepter. Il n'y avait pas d'autres clients dans la salle et c'était le jour de congé de ses employeurs. Elle pouvait s'octroyer cette fantaisie. Ce client lui paraissait sympathique et bienveillant.

Thomas apprit qu'elle était stagiaire. Étudiante dans une école d'hôtellerie, elle se familiarisait avec le métier. A la fin de ses études, si tout allait bien, elle partirait en Suisse dans un établissement international. A son tour, elle interrogea Thomas sur sa présence à Camaret. Celui-ci répondit de manière évasive. Il était chargé d'une enquête pour un consortium d'assurances. Elle n'insista pas et s'intéressa à Ali. Thomas fut direct. Il narra les circonstances de leur rencontre. Elle était abasourdie par le récit.

— C'est un beau garçon… Il a des yeux doux et malicieux à la fois… Quel âge a-t-il ?

— Dix ans ! répondit Ali, avec fierté.

— Pour vous rendre service, je veux bien m'occuper de lui pendant mon temps libre. Ça me changera des balades en solitaire, ici je ne connais personne.

Il la remercia. Ils parlèrent encore. Ali écoutait, les coudes en appui sur la table, la tête posée entre les mains, ses paupières papillonnaient de fatigue. Thomas le remarqua et le dit à la jeune femme qui s'appelait Amélie. Il prit congé.

Thomas remit le bain au lendemain et coucha l'enfant, le borda et le regarda s'endormir. Alors qu'il croyait le fait acquis, Ali rouvrit les yeux et demanda :

— Monsieur… Je voudrais m'appeler comme un Français.

— D'abord, tu m'appelles Thomas et c'est quoi cette lubie de vouloir changer de prénom ? Ali c'est bien !

Ali garda les yeux ouverts. Luttant contre le sommeil, il attendait une réponse à sa requête. Les enfants expriment parfois des souhaits sans pouvoir expliquer leurs motivations et s'entêtent. Alors Thomas chercha.

— Voyons, un prénom qui commence par Al… Il y en a plusieurs… Je ne sais pas, moi… Albert… Alban… Alain… J'ai trouvé, Ali ! Il suffit de rajouter deux lettres à ton prénom, Alain, c'est un peu comme Ali… D'accord ?

Ali-Alain fit oui de la tête et cette fois, il s'endormit.

VII

Ce soir, Anne Lestel serait seule chez elle. Pierre ne viendrait pas comme à l'accoutumée la rejoindre discrètement pour passer la nuit. Aussi en avait-elle profité pour quitter son travail un peu plus tard.

Aujourd'hui, Pierre assistait à une réunion à la préfecture de Quimper. Le lendemain, il devait rencontrer des collègues assureurs pour renégocier les primes annuelles d'un important industriel de l'agroalimentaire.

Pour éviter des trajets inutiles, Pierre dormait sur place. Il regrettait cette obligation. Il ne serait pas à Camaret pour accueillir, dans la soirée, son ami Thomas.

En quittant la mairie, elle avait fait son circuit quotidien des commerçants. Depuis quelques jours, elle doublait ses achats et ressentait une gêne quand elle faisait ses provisions. Les détaillants se gardaient bien de faire des remarques. Elle n'était pas dupe.

Elle ne supportait pas cette situation. Ils devaient se cacher comme des adolescents pour vivre leur amour. A leur âge, cette partie de cache-cache était ridicule. Qu'avaient-ils à craindre ? Même les curés

prenaient des compagnes ! Pour l'instant, elle patien-
tait.

Elle marchait d'un bon pas, sa mallette d'une main,
son sac à provisions de l'autre. Sa maison était située
rue Saint-Pol-Roux ; sans être isolée, elle était à l'é-
cart des autres habitations. Cela protégeait ses ren-
contres avec son amant.

Elle mettait une dizaine de minutes pour faire le
trajet de la mairie à chez elle. Certes, les jours de
pluie, elle arrivait trempée, mais cela ne la dérangeait
pas.

Sur le pas de la porte, elle chercha ses clés dans sa
mallette en désordre. Elle crut un instant qu'elle les
avait oubliées sur son bureau et fut soulagée, elle ne
se voyait pas retourner à la mairie… Elle ouvrit sa
porte.

Un escalier débouchait dans le hall d'entrée. Il
menait à l'étage où se trouvaient les chambres et la
salle de bain.

Au rez-de-chaussée, une porte située à droite s'ouvrait sur une pièce agencée en bureau. Sur la gauche,
une autre menait à la partie séjour. Elle avait fait
abattre une cloison pour agrandir cette salle et intégrer une cuisine à l'américaine avec un accès sur un
jardin clos d'un muret. Lorsqu'elle avait aménagé,
elle avait fait refaire toutes les tapisseries et la peinture des boiseries dans des couleurs chatoyantes. Les
meubles, résolument modernes et pratiques, reflétaient son attrait pour le design. Elle n'aimait pas ce

qui était conventionnel. Elle était une fervente admiratrice du designer Philippe Starck.

Elle était désemparée à l'idée que Pierre ne viendrait pas et ressentit l'impression pénible de se retrouver face à elle-même, comme avant, quand elle meublait ses soirées de solitude en lisant des magazines d'actualités ou des romans, en consultant la presse internationale sur le web ou en regardant un bon film à la télévision.

De temps à autre, des amis l'invitaient, puis c'était à son tour de les recevoir. L'idylle qu'elle vivait à présent avait bouleversé cette vie, somme toute, routinière.

Elle prépara une salade qu'elle mangea sans appétit en feuilletant une revue. Le téléphone sonna. Elle n'aimait pas être importunée dans ces moments de détente mais décrocha.

C'était sa mère ! Encore sa mère dont elle écouterait une fois de plus, d'une oreille peu attentive, les banalités déconcertantes. Oui elle allait bien, oui son travail l'accaparait, oui elle irait bientôt lui rendre une visite. Cela faisait si longtemps. Ensuite, elle subit les sempiternelles histoires de santé de la famille. Cette fois, elle écourta en prétextant un rendez-vous.

— Ah bon ? Où ça ?

Comme si elle devait encore justifier ses actes comme une gamine ! Elle aurait préféré entendre la voix de Pierre...

Elle termina son repas en se disant que ce n'était

pas toujours les enfants qui avaient du mal à couper le cordon ombilical…

Puis, installée dans le canapé, les jambes repliées sous son fessier, elle ouvrit le livre d'Allessandro Baricco, intitulé *Novecento*. Elle était arrivée au passage de la fable théâtrale où l'apatride est installé au clavier de son piano, sur le paquebot qu'il n'a jamais quitté. Il entame le duel avec le musicien de jazz… Elle appréciait cette génération de nouveaux auteurs qui malmenaient les conventions littéraires et traitaient des sujets brûlants voire provocateurs au nom de la liberté d'expression et de pensée.

Après avoir lu seulement quelques pages, elle referma le livre. Elle n'arrivait pas à se concentrer. La pensée de Pierre s'interférait, omniprésente. Elle se leva, glissa dans le lecteur un CD de Tracy Chapman et l'écouta en mettant un peu d'ordre dans le coin cuisine. Puis elle ferma à clé la porte donnant sur le jardin. Les ombres des arbres fruitiers dansaient sur la vitre opaque.

Elle éteignit la lumière et monta à l'étage pour faire un brin de toilette avant de se coucher.

Nue, devant le grand miroir, elle détailla son corps et constata avec une légère amertume que son ventre s'arrondissait. Elle prit ses seins dans les mains ; eux non plus, n'étaient plus aussi fermes. Elle bomba le torse avec une pointe d'arrogance pour défier l'inexorable et lente mutation physique à laquelle aucun être humain n'échappe. Elle se contorsionna pour mieux voir ses fesses, les palpa du bout des doigts pour s'assurer de leur consistance. De ce côté, pas de problème ; les jambes non plus. Elle fit une pirouette désinvolte et se dit qu'à son âge, c'était plutôt bien et que l'on ne pouvait pas "être et avoir été", selon l'adage.

Elle enfila un pyjama et se glissa dans le lit en repensant à sa mère et à la manière insidieuse qu'elle avait de la culpabiliser en la comparant à ses sœurs et à son frère. Eux, au moins, donnaient régulièrement de leurs nouvelles !

Puis Anne Lestel sombra doucement dans un demi-sommeil, cet instant où les pensées vagabondent sans cohérence.

Un bruit anormal la fit sursauter. Elle prêta l'oreille. D'où pouvait-il provenir ? Du jardin ? C'est ça… du jardin. Probablement un chat. Il aurait renversé quelque chose dans l'appentis où elle entreposait un tas d'objets inutiles. D'ailleurs, il faudra qu'elle se débarrasse de ces vieilleries… Un chat ? Non… Un chat c'est silencieux, habile dans le noir. Elle tendit à nouveau l'oreille… Rien… Elle avait peut-être confondu ou cru entendre… Peu importe, cela n'avait aucune d'importance. Elle se traita d'idiote.

*

*   *

Pierre Picard roulait vite. Trop vite. Après la réunion organisée à la préfecture, il avait décidé de rentrer à Camaret… Anne allait être surprise…

Au volant de sa voiture, il pensait aux débats suscités par le projet de groupement des communes. Le but était d'établir une meilleure répartition des subventions en supprimant le paradoxe existant : plus une commune était riche de ses commerces et de ses entreprises, plus elle bénéficiait d'aides au détriment des bourgades plus modestes qui avaient des difficultés à boucler leur budget. Des maires rechignaient, protégeant leurs acquis, alors que d'autres protestaient contre l'injustice de ce plan. Eux aussi devaient financer des équipements publics pour appuyer leur développement. Un collectif de gestion était envisagé au sein d'une structure intercommunale, vaste programme d'une volonté politique gouvernementale. Ce projet, au-delà des divergences, était à la fois inéluctable et nécessaire à la dynamisation d'une région. Pragmatisme oblige : les plus riches devaient aider les pauvres. Pierre Picard n'était pas hostile à ce principe. Au contraire.

Une seconde d'inattention faillit lui coûter cher… Sa voiture roula sur le bas-côté de la chaussée. Après une embardée, il réussit à rétablir in extremis la trajectoire.

Il considéra cet incident comme un avertissement… Il avait eu chaud.

Il devait ralentir et se concentrer davantage sur sa

conduite au lieu de penser aux événements qui avaient émaillé la réunion de la journée.

Pour se remettre de cette émotion, il arrêta sa voiture sur le bord de la route. La poussée d'adrénaline avait augmenté son rythme cardiaque. Il descendit du véhicule pour se détendre. Il inspira de l'air frais. La nuit était noire et silencieuse.

Il goûta ce moment où la nature repliée sur elle-même se régénérait. Il entendit une chouette hululer. Elle lui rappela qu'il existait un monde nocturne, soumis à la même loi que la vie diurne. Deux univers opposés se relaient perpétuellement, assujettis aux nécessités de la prédation.

Il réprima un frisson en bâillant puis, après avoir fait quelques pas, remonta dans sa voiture. Il était fatigué, tout simplement fatigué. Il devait être plus vigilant et lever le pied de l'accélérateur.

Il mit le contact, démarra et poursuivit sa route. La bande médiane blanche défilait à nouveau sur l'asphalte dans les phares. Il entrouvrit légèrement la vitre de la portière pour laisser filtrer un filet d'air et actionna le bouton de la radio sans quitter la route des yeux.

A cette heure, Thomas était arrivé à Camaret, du moins il le supposait. Il avait hâte de le revoir. Leur dernière rencontre remontait à peu près à un an.

*

* *

Depuis combien de temps dormait-elle ? Anne passa instinctivement la main sous les draps. La place était vide.

Elle se retourna et regarda l'affichage lumineux du réveil. Minuit trente. Pierre ne lui avait pas téléphoné. Comment ferait-elle maintenant s'il lui annonçait qu'il mettait un terme à leur liaison ? Son absence la fragilisait, du coup l'avenir devenait incertain. C'était ridicule de penser à cela ! Pourquoi ce doute ? Demain il serait là.

Elle devait se rendormir et penser à des choses plus agréables. La nuit, même les tracas les plus anodins sont toujours amplifiés, déformés. Au réveil, tout paraîtrait encore merveilleux. Cette pensée la rassura.

Elle leva brusquement la tête pour écouter. Un bruit insolite venait d'attirer son attention. Elle se redressa dans le lit. S'était-elle encore fait des idées ? Décidément.

Elle se sentit nerveuse… Non, elle n'entendait plus rien… Elle reposa sa tête sur l'oreiller… Le silence de la nuit l'oppressa. Dans le doute, elle resta aux aguets.

Un nouveau bruit ! Elle essaya de localiser la provenance. Le rez-de-chaussée ! Mais où exactement ? Les portes ! Elle les avait bien fermées ? Oui… Elle se souvint de ses gestes quand précisément elle avait tourné les clés dans la serrure de l'entrée et celle de la cuisine.

Ça continuait ! Ce n'était pas régulier… Non… Plutôt comme quelqu'un qui essaie de… C'est ça…

Elle repoussa vivement la couette et se leva en mesurant ses gestes. Aller voir, vite dit ! Elle n'était pas de taille si… Il était évident qu'elle ne pouvait pas non plus se terrer dans sa chambre à ne rien faire. Elle devait agir. L'angoisse lui noua l'estomac.

Avec mille précautions, elle descendit, une à une, les marches de l'escalier sur la pointe des pieds en laissant glisser sa main sur la rambarde. Ses jambes tremblaient légèrement.

Au rez-de-chaussée, ses pieds entrèrent en contact avec le carrelage glacé. Le bruit provenait de la cuisine. Elle hésita.

Son cœur se mit à battre un peu plus vite lorsqu'elle fit pivoter la porte du salon. Elle retint sa respiration. La porte grinça en une longue plainte, mais pas suffisamment pour interrompre le bruit dont elle avait à présent une idée précise… C'était ce qu'elle redoutait le plus !

Dans ces situations de tensions extrêmes, si l'aptitude physique à faire face à un danger fait défaut, la peur fait perdre au mental ses capacités d'analyse. Anne était à cette phase. Elle tournait le dos à la porte d'entrée par laquelle elle aurait pu s'enfuir pour demander de l'aide. Tétanisée, ses yeux fixaient la porte vitrée de la cuisine donnant sur le jardin. Ce n'était plus les ombres des arbres qui s'y reflétaient, mais la silhouette d'un homme s'affairant sur la serrure.

N'écoutant que son courage, sans quitter la porte du regard, elle avança à pas feutrés vers l'un des meubles de la cuisine.

Elle fit glisser doucement le tiroir et s'empara du premier objet qui lui tomba sous la main… un hachoir à viande.

A cet instant, la silhouette disparut de la porte. Elle entendit le moteur d'une voiture et le claquement d'une portière.

Le téléphone ! Comment n'y avait-elle pas pensé ? Vite ! Elle regagna le couloir de l'entrée aussi vite qu'elle put.

Dans le hall, elle resta clouée sur place !

Maintenant, c'était la porte d'entrée que l'on essayait de forcer… Au bord de la crise de nerfs, elle ne savait plus que faire. Son corps fut pris d'un tremblement incoercible.

Avec l'énergie du désespoir, elle bondit sur la porte en criant et en brandissant le hachoir.

A cet instant, la porte s'ouvrit.

Pierre esquiva le coup de justesse et la maîtrisa.

Il ne comprenait pas, mais il savait que son réflexe l'avait sauvé.

— Anne ! C'est moi ! Que se passe-t-il ?

Ses dernières forces l'abandonnant, elle s'écroula sur le carrelage en pleurant. Pierre ferma la porte. Il s'accroupit près d'elle, la serra dans ses bras et attendit qu'elle fut apaisée, puis la souleva et l'aida à s'asseoir dans le canapé. Elle s'y lova et dit doucement :

— Pourquoi tu as fait ça ?

— Fait quoi, Anne ? Tu as cru que quelqu'un voulait rentrer chez toi… C'est vrai, il est tard. Je voulais te faire une surprise. Mon rendez-vous avec les assureurs a été annulé… Excuse-moi.

Anne, encore sous l'effet du choc, n'était visiblement pas satisfaite de la réponse. Elle insista :

— Pourquoi tu as fait ça ?

— Je ne te comprends pas, je viens de te le dire !

— Pourquoi tu as voulu entrer par la porte de la cuisine ?

— Qu'est-ce que tu racontes ? D'une part, je n'ai pas la clé de cette porte et, d'autre part, tu n'imagines tout de même pas que je vais escalader le mur pour rentrer chez toi ? Attends…

Il prit des verres dans le bar, servit deux cognacs et en tendit un à Anne.

— Tiens, ça te fera du bien !

Elle se redressa sur un coude et but une gorgée. L'alcool la fit tousser.

— Quelqu'un a essayé de forcer la porte de la cuisine, juste avant que tu arrives.

— Hein ? dit-il étonné.

Pierre regarda la porte. Il vit l'ombre des arbres.

Il l'ouvrit. A l'extérieur tout paraissait calme. Anne avait peut-être été abusée par son imagination. Il alluma la lumière extérieure et passa sa main sur la serrure. Il sursauta.

Il s'était piqué un doigt avec un éclat de métal. Il

se pencha pour mieux observer et découvrit des stries sur la serrure, le bois de l'encadrement était également éraflé. Les griffures étaient récentes. Il referma la porte et revint près d'Anne.

— Tu as raison, il y a des marques autour de la serrure. C'était juste avant que j'arrive ? Je veux dire à l'instant même ? ajouta-t-il.

— Oui, le temps d'aller de la porte de la cuisine au hall de l'entrée.

— Hum… Sans doute un rôdeur. Mon arrivée l'a surpris. Il a entendu ma voiture, je l'ai garée dans le chemin qui longe le mur du jardin. Il a probablement vu que je me dirigeais vers la porte d'entrée… Oui, c'est ça… Le mur n'est guère plus haut que mes épaules. Il a dû attendre que je rentre dans la maison et il s'est enfui par où il est venu. Il lui était facile ensuite de disparaître dans la nature. Toi, tu as cru qu'il avait abandonné la porte du jardin pour s'attaquer à celle de l'entrée, alors que c'était moi…

Il lui caressa le visage et l'embrassa.

— Tu te rends compte… tu as failli me débiter comme un saucisson, dit-il et il éclata de rire pour dédramatiser la situation.

Elle le regarda avec un léger sourire.

— Tu me pardonnes ?

— Oui, à la condition que tu ne m'accueilles plus avec un hachoir à viande. Généralement, c'est plutôt à coups de rouleau à pâtisserie…

Elle rit nerveusement. Pierre ajouta :

— C'est certainement un rôdeur… D'abord, qui pourrait t'en vouloir et pour quelles raisons ?

Pour la rassurer, il lui promit qu'il s'arrangerait pour ne plus s'absenter le soir et, s'il avait une obligation imprévue, elle irait chez lui.

VIII

A son réveil, l'enfant avait insisté. Désormais, il s'appellerait Alain. Thomas lui répondit qu'il respecterait son choix.

Le bain d'Alain s'était prolongé. Il s'amusait en faisant des exercices d'apnée dans la baignoire, heureux de sa nouvelle vie et de sa nouvelle identité. Thomas laissa faire et téléphona à Léa pour lui demander de s'informer sur l'éventuelle disparition d'un petit Malien auprès des services de police ou d'associations de sans-papiers. Ceci dans la plus grande discrétion. Il ne lui en dit pas plus.

Ensuite, ils prirent un petit-déjeuner servi avec le sourire par Amélie. Elle leur prêta une attention particulière. L'hôtelière aussi était là. Elle et son mari étaient revenus de congé. C'était une petite brune pimpante et pomponnée. Elle se déplaçait à petit pas en faisant claquer ses talons hauts… Clac… Clac… Clac… Comme dans ces films de Jacques Tati où les bruits fédèrent les actions.

Soucieuse de connaître sa clientèle, elle regardait du coin de l'œil ces nouveaux pensionnaires. Elle s'adressa à eux avec une affabilité exagérée trahissant sa curiosité, mais elle resta sur sa faim. Quand Thomas n'était pas disposé, il rejetait toute conversation intimiste en tenant ses interlocuteurs dans la réserve. Il s'en trouvait très bien ainsi. Sa vie ne regardait que lui.

Il se rendit avec Alain à la mairie pour rencontrer Pierre Picard.

A l'accueil, la secrétaire les informa que le maire n'était pas encore arrivé. Elle téléphona chez lui, sans succès. Thomas repasserait en fin de matinée. Il donna le nom de l'hôtel où il logeait.

Entre-temps, Alain avait fait main basse sur divers prospectus mis à la disposition du public. Dépliants touristiques, conseils pour la vaccination contre la grippe, méfaits du tabac et autres informations les plus diverses. Fier de son butin, il suivit Thomas pour regagner la voiture.

Thomas décida de mettre à profit l'absence de Pierre pour habiller Alain dont les vêtements criaient l'urgence d'un passage à la machine à laver. Alain clama sa joie. Direction le supermarché de Crozon. L'enfant s'affaira durant le trajet au classement de ses divers documents.

Rayon confection junior, le choix des vêtements fut l'objet de palabres interminables sur les tendances de la mode. Alain choisissait les tenues les plus criardes. Thomas, tout en reconnaissant leur côté pratique, recherchait plutôt des habits discrets, mais le choix était restreint et ils furent contraints de trouver un compromis. L'arbitrage du responsable de rayon s'avéra nécessaire. Thomas l'avait appelé à la rescousse. Les vêtements et sous-vêtements s'entassèrent dans le caddie. Le choix d'une paire de tennis fut également le terreau d'une polémique. Avec quelle marque courait-on le plus vite ? Nike ou Addidas ? Thomas fit comprendre à Alain que sa question était inconvenante, en regard de l'exploitation des personnes qui fabriquaient ces chaussures. Certaines avaient son jeune âge. Enfin, ce fut l'achat d'une casquette sans laquelle tout ado ou pré-ado ne peut s'affirmer et d'un sac de voyage pour transporter le tout.

Sur la route du retour, Thomas ajusta le rétroviseur intérieur. Il vit Alain qui mâchonnait. Il lui demanda ce qu'il avait dans la bouche. Un chewing-gum. Comment se l'était-il procuré ? Tout simplement en se servant au présentoir situé devant les caisses. Thomas se fâcha. Il lui fit la morale. L'enfant, gêné, baissa les yeux. Le chewing-gum n'avait plus le goût de la chlorophylle mais celui de la honte.

En arrivant à Penfrat, Thomas passa entre deux piliers de pierre, vestiges d'un pont de chemin de fer. Il se souvint du petit train à vapeur qui reliait Camaret à Châteaulin. Fous rires en compagnie de sa sœur aînée. Odeur de la fumée de charbon crachée par la locomotive haletante. Escarbilles dans les yeux, chaque fois qu'il se penchait par la fenêtre ouverte… L'intérieur des wagons en bois vernis, les cuivres rutilants ; à l'arrière, le petit poêle à bois pour le chauffage, l'hiver… Le contrôleur dans son uniforme sombre, avec sa casquette estampillée d'un insigne émaillé de couleur bleue sur lequel était gravé, en lettres d'or, SNCF…

Onze heures trente. Il descendit la rue des Quatre Vents après avoir laissé les dernières maisons sur sa droite. La vue du port et de la ville s'offrait comme un panorama de carte postale.

*

*   *

Pierre était impatient de rencontrer Thomas. Ce matin, il ne s'était pas réveillé assez tôt et avait manqué de peu son ami.

Après sa frayeur, Anne avait eu beaucoup de mal à s'endormir. Elle s'était relevée plusieurs fois durant la nuit. Au petit matin, elle avait voulu faire l'amour, comme si cette étreinte rassurante devait mettre un terme à son angoisse. Ensuite, elle avait versé des larmes silencieuses avant de s'assoupir.

Thomas arriva à l'hôtel de ville. Alain lui emboîtait le pas, la visière de sa casquette en forme de bec de canard sur la nuque, il ne cessait de répéter :

— Yeah, man ! Yeah, man !

Après les congratulations et le plaisir des retrouvailles, Pierre s'étonna de la présence d'Alain. Thomas expliqua les circonstances de leur rencontre. Pierre était époustouflé. Il ne cessait de fixer l'enfant avec un demi-sourire, cela lui semblait complètement fou. Néanmoins, il approuva son ami d'avoir agi ainsi. L'étonnement passé, il souhaita la bienvenue à Alain et dit :

— Eh bien, quelle histoire ! Je vous invite à déjeuner !

Le trio partit à pied en direction de l'hôtel Le Neptune. Alain, ravi, marchait entre les deux hommes.

Pierre demanda une table à l'écart. L'hôtelière était à son affaire, à la fois intriguée et rassurée de voir ses deux clients en compagnie du maire. Ils n'étaient donc pas des touristes ordinaires. Elle les installa et leur souhaita un bon appétit. Elle s'occuperait personnellement d'eux. Amélie servait d'autres tables, elle fit un sourire de connivence à Alain. L'enfant gêné baissa la tête en balançant ses jambes entre les pieds de la chaise. Les dernières nouvelles sur leurs existences réciproques échangées, Pierre aborda aussitôt le problème des énigmatiques lettres écrites en latin. Jusqu'ici, à part le déplaisir de les recevoir, il ne s'en était pas soucié outre mesure. Il pensait que c'était l'œuvre d'un plaisantin malsain. Sans plus. Mais depuis l'intervention d'Yvon Le Saout, lors de la dernière réunion du conseil municipal, il se posait des questions.

— Qui est Yvon Le Saout ? demanda Thomas.

— Un agriculteur, élu au conseil, répondit Pierre.

Il fit part de l'accident de Jean Raguennès à la pointe du Grand Goin et de celui d'Hervé Traouen, le menuisier, mort de façon horrible. Il avait été retrouvé, le corps à demi tronçonné par le ruban de la grande scie avec laquelle il débitait des planches dans les billes de bois.

— Pourquoi Yvon Le Saout doute-t-il des causes de ces décès ? s'inquiéta Thomas.

— Il n'a aucune preuve tangible pour contredire la version officielle des accidents… mais il doute et il n'a pas pour habitude de raconter des sornettes.

— Toi, tu en penses quoi ?

— Moi ? Je suis inquiet. Je crains une corrélation entre les lettres et ces décès.

— Yvon Le Saout détient peut-être une information qu'il n'ose dévoiler…

— Oh, non… Si tel était le cas, il l'aurait donnée. Je connais le personnage, répondit Pierre.

— Tu sembles rejeter la thèse de l'accident, celle du suicide également, je suppose ?

— Oui. Les deux disparus n'avaient aucune raison de mettre fin à leurs jours. Cette idée est absurde. Elle est à exclure.

— D'accord, dit Thomas. Il marqua une pause pour manger puis reprit :

— Si je comprends bien, ce ne sont ni des accidents ni des suicides. Ça te gêne de parler de meurtres ?

— Oui, tu as raison. Sans doute par peur de la véri-té. Tu imagines le choc pour la ville ? Je n'y tiens absolument pas.

Alain impatient s'éclipsa pour rejoindre Amélie,

occupée à débarrasser les tables désertées par les clients.

— Tu as gardé les lettres ? demanda Thomas.

— Quelle question ! Bien sûr. Elles sont à ta disposition.

— Les rapports de gendarmerie, que disent-ils exactement ?

Pierre l'informa qu'ils relataient les circonstances présumées de ces deux drames, en l'absence de témoins et sans preuves contraires, la thèse de l'accident avait été retenue.

— A propos des lettres, tu n'as pas d'ennuis personnels ? Je trouve curieux qu'elles soient expédiées à la mairie…

— Ma vie est limpide. Enfin presque…

— C'est-à-dire ? demanda Thomas en continuant à manger.

— J'ai une relation avec la secrétaire générale de la mairie. C'est récent. Quand j'ai reçu les premières lettres, il n'y avait rien entre nous. D'ailleurs, nous avons l'intention de légitimer notre liaison.

Ce fut le moment du dessert. Thomas chercha des yeux Alain, dans la salle du restaurant. Amélie vit son inquiétude. Elle le rassura. Il s'amusait non loin de là, au cimetière des bateaux, parmi les squelettes des coques échouées. Elle le surveillait de temps à autre par la baie vitrée. Les deux hommes terminèrent le repas par un café. Pierre proposa de faire garder l'enfant par une assistante maternelle qu'il connaissait.

La discrétion serait assurée. Cela n'enchantait guère Thomas, mais il n'avait pas le choix. Il devait être libre. Ils continuèrent à parler de l'affaire. Le caractère obscur et récurrent du message interpellait Thomas. Cela ne correspondait pas à la manière de procéder d'un corbeau. Pas de menace directe sur un individu ni de dénonciation… Pourquoi ces mots en latin ? Il était prématuré de faire un lien avec les morts dont Yvon Le Saout remettait en cause l'origine.

— A part toi, qui est au courant de l'existence de ces lettres ?

— Anne, la secrétaire, et Paul Grimaud… Un type bien… Un artisan installé depuis quatre ans. Tu pourras le rencontrer, il te donnera son sentiment. Anne et lui sont d'accord pour que l'on ébruite cette affaire de lettres. Ils sont persuadés que l'auteur se trahirait en commettant une erreur.

Thomas émit un signe de doute. Pierre l'informa aussi de l'incident de la nuit dernière chez Anne…

— C'est un élément plus concret que les suppositions d'Yvon Le Saout ! dit Thomas.

— Que veux-tu dire par-là ?

— Restons prudents avant de tirer des conclusions hâtives. A la mairie, qui dépouille le courrier ?

— Anne.

— Elle en est peut-être la destinataire…

— Pourquoi ne pas l'expédier à son domicile ? Si c'était une affaire personnelle, je pense qu'elle me l'aurait confié, répondit Pierre, étonné.

— Tu n'as pas compris. Il ne s'agit pas d'une affaire privée. L'auteur des lettres, dont nous ignorons jusqu'à présent les motivations, agit selon son raisonnement. Le choix de la mairie n'est pas une idée qui lui est passé par la tête… Non… Justement c'est dans ce cadre qu'il faut rester, sinon les lettres seraient parvenues au domicile de ton amie. Par contre, il est plus facile de l'agresser chez elle…

— Anne est une personne irréprochable dans son travail. Toujours prête à rendre service, à l'écoute des administrés. C'est un plaisir de travailler avec elle, répondit Pierre.

— Tu es amoureux ! s'csclaffa Thomas et il ajouta :

— Je ne mets pas en doute ses compétences, mais il y a certainement une personne qui ne voit pas les choses de la même façon.

Thomas conclut que les seuls éléments fiables dont il disposait étaient les lettres. Le reste reposait sur des incertitudes. Cependant, il en tiendrait compte.

Ils quittèrent le restaurant pour rejoindre Alain. Il escaladait les vieux bateaux en se prenant pour un pirate.

IX

Deux jours après, la garde de l'enfant fut résolue grâce à l'intervention de Pierre. Alain logeait à présent en famille d'accueil et en pension complète chez Louise Berthelot, jusqu'à la fin du séjour de Thomas à Camaret. Libéré, Thomas put ainsi disposer de son temps. Lorsqu'il arrivait dans de nouveaux lieux, il prenait toujours des repères et s'imprégnait de l'ambiance. Il remarqua que Camaret subissait une lente métamorphose. C'est avec nostalgie qu'il regarda les quais désertés, mais les souvenirs fourmillaient dans sa tête.

Depuis des générations, ce bout du monde vivait de la pêche. Le temps où les bateaux rentraient au port les cales remplies de langoustes, était bien révolu… La concurrence des bateaux-usines traitant et congelant les crustacés sur place avait eu raison de cette manne génératrice d'une importante activité économique qui profitait à tous les habitants.

A l'époque, il y avait déjà quelques plaisanciers, mais ces touristes des mers étaient ignorés des marins pêcheurs à la retraite. Lorsque le temps était au beau, ces derniers se retrouvaient entre eux sur le quai. Ils évoquaient leurs campagnes de pêche ou la mémoire de leurs collègues disparus en mer et leurs conversations étaient parfois ponctuées de longs silences, de regards perdus à l'horizon.

L'un d'eux était toujours là pour saisir le bout lancé de la proue d'un bateau qui accostait. Il enroulait le cordage autour d'une borne d'amarrage sur laquelle il prenait appui du pied. Les bras tendus, le corps cambré en arrière, il assurait l'amarre tandis que le pilote tournait rapidement la barre et l'embarcation présentait lentement son flanc contre le quai après quelques derniers tours d'hélice. Chez eux, la solidarité n'était pas un vain mot.

Dans la soirée, les équipages se reformaient dans les bistrots pour taper le carton ou jouer aux dominos, le verbe haut. A l'heure du dîner, grisés par quelques verres de vin rouge, ils se dispersaient pour regagner leur domicile. Silhouettes titubantes bleu délavé, la casquette de travers. Sur terre aussi, il y avait du roulis…

Aujourd'hui, la flotte était réduite à quelques unités transformées pour la pêche côtière, moins lucrative. Le dur métier de marin pêcheur ne suscitait guère de vocation chez les jeunes…

Penché au-dessus de l'imposant moteur de son bateau, Jos Gourmelon, patron pêcheur, regardait avec désolation la durite du circuit de refroidissement. Elle était crevée. Ce n'était pas aujourd'hui qu'il irait en mer ! Encore une journée foutue à cause de ce maudit rafiot ! Ces temps-ci, la fatalité s'acharnait. Entre les avaries et les jours chômés pour cause de tempête, le préjudice sur le plan financier s'alourdissait. Il devrait encore négocier les traites auprès du banquier, calfeutré au chaud dans son bureau, qui ne comprenait rien au métier de marin pêcheur, sa seule préoccupation étant d'aligner des colonnes de chiffres.

Depuis qu'il avait acheté ce bateau d'occasion au Guilvinec, Jos accumulait des déboires en tous genres.

Il dévissa le collier maintenant le tuyau défectueux et essuya ses mains pleines de cambouis. De rage, il jeta le chiffon maculé puis emprunta l'échelle de l'écoutille menant sur le pont.

Il leva la tête. Sur le quai, un inconnu regardait le bateau. Tiens ? Connais pas cet' tête ! D'un coup de rein, Jos se retrouva en équilibre sur le bord de la coque et enjamba l'espace séparant le navire du quai.

Thomas remonta le col de sa parka.

— Beau Bateau ! C'est le seul au port aujourd'hui…

— Ouais, ras le bol des problèmes mécaniques ! Pas graves, mais ça suffit pour rester à quai.

Un gaillard en vareuse bleue sortit d'un café situé de l'autre côté du quai et cria :

— Hé, Jos, grouille, on t'attend !

Le patron pêcheur traversa la chaussée, laissant Thomas à sa déambulation.

Dans sa jeunesse, le port connaissait l'agitation

des départs. Il avait souvent regardé les marins s'activer aux derniers préparatifs et charger le matériel et les vivres nécessaires pour les longues journées à passer en mer. De ses yeux d'enfant, il n'imaginait pas ce que pouvaient endurer ces hommes confrontés à tous les dangers. Souffrance de la séparation des couples, des familles. Ces maris, ces pères salués peut-être pour la dernière fois, laissant d'eux l'ultime image d'hommes s'activant sur le pont du bateau. Les ex-voto de la chapelle de Notre Dame de Rocamadour étaient là pour témoigner de ces drames…

Revenant à la réalité, Thomas prit une profonde inspiration d'air iodé et reconnut cette sensation olfactive typique des ports de pêche qui mêle les odeurs d'air salin, de poisson séché, de cambouis, de chanvre et de peinture. Parfums d'aventure…

Il arriva au bout du quai du Styvel et tourna sur la gauche, puis longea la plage du Corréjou pour gagner la pointe du Grand Goin.

Il eut une pensée pour Alain. Comment occupait-il son temps dans sa famille d'accueil ? Il avait promis de lui rendre visite régulièrement.

Il aborda le sentier côtier. De la terre humide exhalait un mélange de parfums subtils de lande, de genêt et de bruyère. Thomas marchait d'un bon pas. Au fur et mesure de sa progression sur le sentier pierreux, la végétation se fit plus rare et laissa place à une herbe rase et desséchée par le vent, toujours présent sur la pointe.

La vue sur l'océan était grandiose. Ces lieux sauvages fascinaient les visiteurs par l'atmosphère quasi-mystique qu'ils dégageaient.

Il repéra le panneau qui signalait la sente empruntée par Jean Raguennès. Il se pencha et regarda le bas de la falaise. Une chute ne pardonnait pas. Il détailla les alentours immédiats. Il imagina l'accident et envisagea plusieurs possibilités. Aucune ne le satisfaisait, même pas celle d'un meurtrier, puisqu'il n'y avait pas de cache possible ou alors… la victime le connaissait. Il resta là un moment, à réfléchir.

Toujours ce vent frais… lancinant.

Il ressentit une impression étrange. Il se retourna brusquement. Face à lui se tenait un homme au teint hâlé, un pic dans une main et un petit sac de toile de jute dans l'autre. Deux pas seulement les séparaient. Depuis combien de temps était-il là ?

— Bonjour ! Paul Grimaud ! lança-t-il.

Thomas serra la main offerte. Il se présenta à son tour. Ainsi, il n'avait rien entendu. Entre le grondement assourdissant des vagues s'écrasant en contrebas sur les rochers et le vent soufflant sans répit de l'océan, tous les bruits étaient masqués. En n'y faisant pas attention, on pouvait être pris par surprise. Voilà un fait non négligeable, pensa Thomas.

— Pierre m'a parlé de vous… J'ai appris que vous êtes arrivé hier soir avec un enfant. Ici, les nouvelles vont vite. C'est votre fils qui vous accompagne ? demanda Paul Grimaud.

— Non, répondit Thomas en le fixant du regard et en pensant : « Qu'est-ce que ça peut te faire ? »

Toujours cette sainte horreur des gens qui se mêlent des affaires des autres !

— Vous regardez l'endroit où est tombé ce malheureux ? C'est moi qui ai découvert le corps.

Thomas posa la question de façon abrupte :

— Vous pensez que quelqu'un aurait pu le pousser dans le vide ?

Paul Grimaud se mit à rire.

— Un assassinat ! J'ai entendu cette ineptie. Non, je ne crois pas à cette version.

— Pourtant je ne vous ai pas entendu venir…

— Ceci n'explique pas cela.

— C'est certain… Sans témoin…

Thomas était irrité. Cela venait peut-être de ce qu'il avait été surpris ou encore de la manière dont il avait été abordé. Un peu des deux peut-être. Il ne savait pas précisément.

Paul Grimaud montra avec précision l'endroit où il avait découvert le corps. Pour lui, cela ne faisait aucun doute. C'était un accident.

Peu enclin à poursuivre le dialogue, Thomas préféra partir. Il n'apprendrait visiblement rien de cet homme ni de sa visite à la pointe du Grand Goin. Il salua Paul Grimaud. Ce dernier proposa de le ramener, sa voiture était garée près de la rue du Toulinguet. Thomas refusa, il préférait marcher.

L'après-midi, il se rendit chez la veuve Raguennès,

du côté du lieu-dit Kersaludu. Il sonna à la barrière et fut accueilli par les aboiements d'un roquet frénétique. La porte d'entrée de la maison s'ouvrit. Une dame âgée apparut, un torchon à la main.

— Qu'est-ce que c'est ? demanda-t-elle sans amabilité.

Elle descendit les marches du perron avec difficulté.

— Thomas de Rosmadec, Madame.

— C'est pourquoi ?

— Je viens vous voir au sujet du décès de votre mari.

Elle ouvrit la barrière. Le cabot, bien décidé à défendre son domaine, redoubla ses aboiements devant l'intrus. Un coup de torchon le ramena à la raison. Il disparut la queue entre les jambes.

— Je suis chargé d'enquête par la compagnie d'assurances de la ville. Je… Je voudrais connaître votre avis.

— Ah ! Entrez donc. C'est pas ça qui me rendra mon mari… Enfin, puisque vous êtes là !

Thomas la suivit.

L'intérieur bien ordonné sentait l'encaustique. Elle le fit entrer dans le salon. D'un geste de la tête, elle lui indiqua un fauteuil. Elle respirait fortement.

« L'asthme, pensa Thomas. Une crise d'asthme. »

Sans rien dire, elle se dirigea vers un imposant buffet et y prit un verre et une bouteille de Martini qu'elle posa sur la table.

— Ne vous dérangez pas, Madame, je n'en aurai pas pour longtemps.

— Vous allez tout même prendre un verre ? dit-elle, étonnée.

Thomas accepta. Il ne voulait pas la froisser ni aller à l'encontre de la coutume, celle de recevoir en proposant un verre d'alcool.

Il remarqua sur les murs, entre le canevas et un tableau représentant une scène champêtre au tirage illimité, une série de photographies de la descendance familiale. Sourires niais, gestes figés pour la postérité. Tranches de vies. Jean Raguennès, chef de la tribu, avait droit à une place de choix sur le poste de télévision. Sa bobine, rondouillarde et grave à la fois, trônait cerclée d'un cadre ovale doré, posé sur un napperon.

Il présenta d'abord ses condoléances puis évoqua l'accident malheureux. Il dit qu'il était là pour essayer de comprendre. Elle ne demanda pas pourquoi. Cela évita à Thomas de se perdre en conjectures.

Son Jean, comme elle disait, n'était pas tombé comme ça. Non, c'était impossible. Soixante-quinze ans, toujours alerte et toute sa tête, s'il vous plaît ! Des éloges, il en pleuvait. Comme il en pleut toujours sur les défunts !

— Si ce n'est pas un accident, c'est quoi alors ? Vous n'êtes pas la seule à penser cela. Yves Le Saout a aussi des doutes. Ne serait-ce pas un suicide ? finit par dire Thomas.

— Oh, grand Dieu, non ! Jean ? Jamais de la vie il aurait fait une chose pareille !

— Votre mari avait-il des ennemis ?

— N… Non… Non… Jean était apprécié de tout le monde…

« L'homme parfait, quoi ! » pensa Thomas, à regret. Il aurait préféré avoir à faire à une crapule. Au moins, il aurait su à quoi s'en tenir. Les choses auraient été plus claires.

Elle repartit sur les mérites et les qualités de son homme. Toujours serviable, il débrouillait les affaires des autres quand il était conseiller municipal. Elle citait des exemples de son altruisme sans bornes.

— Un saint ! Je vous dis.

L'amour est aveugle, dit-on. Pourtant, à cet âge, elle avait dû faire le tour de la question ou alors c'était de l'idolâtrie. En tout cas, on ne tue pas un saint. Il n'y a aucune raison. C'est ce que pensait Thomas. Il tournait en rond et préféra mettre un terme à sa visite.

Avant de la quitter, il lui demanda la date du décès de Jean Raguennès.

— Le huit février, répondit-elle.

Elle le raccompagna jusqu'à la barrière. Toujours sous les aboiements du chien. Nouveau coup de torchon.

Thomas regagna sa voiture et descendit vers le port, le Martini sur l'estomac. Il n'avait pas l'habitude. Il laissa sa voiture sur le parking de l'hôtel et partit à pied jusqu'au chantier naval. Il longea la

digue séparant la plage du Corréjou, du cimetière des
bateaux. Devant la chapelle Notre Dame de Rocamadour, des charpentiers bordaient la future coque
d'un bateau. Il leur demanda où se situaient les établissements Traouen.

— Là ! Juste après, indiqua l'un des hommes, en
tenant à bout de bras son marteau.

Il fit le tour du bâtiment en bois et repéra une
entrée sur laquelle était inscrit « *Entrée du personnel* ». Il l'ouvrit.

A l'intérieur de l'atelier, les ouvriers, affairés autour
des machines bruyantes, ne s'aperçurent pas de sa
présence. Une odeur de bois flottait dans le hangar.
Il ignora le panneau d'interdiction des lieux au public
et se dirigea vers un menuisier équipé d'un casque
anti-bruit. L'ouvrier visait d'un œil la rectitude des
arêtes d'un madrier. Il retourna plusieurs fois le bout
de bois. Insatisfait du résultat, il présenta à nouveau
la pièce sur le tablier de la dégauchisseuse quand Thomas lui tapota l'épaule en criant :

— Je peux vous interrompre ?

L'ouvrier, interloqué, actionna le bouton d'arrêt de
la machine. Thomas se présenta à nouveau comme
chargé d'enquête pour la compagnie d'assurances.
Finalement cette usurpation lui convenait. L'homme
s'étonna.

— C'est pour le patron ?

— Oui.

— Un inspecteur est déjà passé.

— Vaut mieux deux fois qu'une ! répondit Thomas, sûr de lui.

L'ouvrier fit une mimique pour signifier qu'après tout, il n'en avait rien à faire. Un inspecteur de plus ou de moins…

— Avec quelle scie s'est produit l'accident ?

Il répondit à la demande de Thomas en désignant la scie avec laquelle Hervé Traouen avait trouvé la mort. Les autres employés, intrigués, arrêtèrent à leur tour leur travail. Le calme s'installa et tout le monde se retrouva autour de la machine maudite.

Là aussi, les ouvriers étaient sceptiques… Leur patron ? Il ne badinait pas avec la sécurité, jamais il ne se serait servi de cette scie à ruban sans mettre la protection devant la lame. D'ailleurs, ils avaient essuyé plus d'une engueulade de sa part à ce sujet. Thomas recueillit leurs témoignages.

Le drame était survenu un soir. En retard d'une commande, Hervé Traouen, après avoir dîner, était revenu travailler seul. Il le faisait souvent pour avancer le travail du lendemain. Sa femme ne le voyant pas rentrer s'était inquiétée. Elle était venue jusqu'à l'atelier. Horrible, le mot n'était pas trop fort, lorsqu'elle avait découvert le corps ensanglanté à demi tronçonné, gisant dans la sciure.

Thomas se figura la scène.

Hervé Traouen n'avait pas mis la protection pour gagner du temps. Il avait trébuché sur un objet ou un morceau de bois. Mettre en place la sécurité était pourtant d'une facilité déconcertante… Cette négligence ne correspondait pas au personnage décrit par les ouvriers ou alors, Hervé Traouen, penché sur la machine, n'avait pas entendu ni vu venir son assassin. A supposer qu'il eût omis de se protéger du bruit à l'aide du casque, la machine était suffisamment bruyante… Il était même probable qu'il y avait eu lutte…

Thomas les remercia. Qu'allaient-ils devenir ? Ils terminaient les commandes en cours, il y en avait encore pour quatre mois environ, mais après ?

— Vous souvenez-vous de la date du décès ? s'informa Thomas auprès de l'ouvrier qui le raccompagnait à la porte.

— Euh… début janvier… Oui c'est ça, début janvier, dit-il en hochant la tête de haut en bas pour appuyer son affirmation.

— Un conseil, proposez à la veuve de reprendre l'affaire à votre compte ! dit Thomas.

— On travaille sur le projet, c'est en bonne voie, répondit l'ouvrier, en souriant.

— Bon courage !

X

L'envoi de mystérieux messages à la mairie était un fait, soit, mais devait-on y accorder de l'importance et, encore plus, donner du crédit à Yvon Le Saout ? Il n'y a rien de plus pernicieux que la rumeur. Pour l'instant et en l'absence de la moindre preuve, Thomas ne savait que penser.

Il s'avança sur le Sillon et s'attarda devant les coques échouées. Dans sa jeunesse, avait-il connu ces bateaux ? Reflet du temps qui passe… Il continua nonchalamment son chemin en essayant d'y voir plus clair.

Il n'avait pu s'empêcher de retourner le jour suivant à la pointe du Grand Goin pour essayer de comprendre la tragédie qui s'y était déroulée, souhaitant que, cette fois, il serait seul. Il reconnut qu'il avait été désagréable avec Paul Grimaud. Ce dernier voulait simplement donner son avis et faire connaissance. C'était tout.

Pourquoi Raguennès et Traouen ? Ces deux hommes avaient apparemment des vies sans histoires. Thomas se dit qu'il devait reconsidérer sa réflexion, ne pas dissocier l'affaire des lettres anonymes de celle des prétendus accidents. Après tout, la liste des décès suspects était peut-être plus importante ! Interroger Yvon Le Saout ? Non, ce serait une maladresse. Il devait être plus discret. Il irait à la mairie consulter le registre d'état civil.

Thomas se trouva face à la chapelle de Rocamadour.

Elle avait été restaurée dans les mêmes tons ocres que la tour Vauban, il vit un homme en sortir et verrouiller la porte. Le curé, sans aucun doute. Il l'aborda.

— Elle a fière allure ! Je l'ai connu dans un triste état, ouverte aux quatre vents. L'intérieur a-t-il été restauré, aussi ?

— Oui, répondit le curé avec satisfaction. Notre vieille dame a résisté. Depuis l'an mille cinq cent vingt-sept, elle a traversé le temps. Grâce à Dieu ! Il pointa un doigt vers le ciel.

— Vous m'excuserez, mon père, mais aussi grâce aux pieux contribuables que nous sommes, plaisanta Thomas.

— Je vous l'accorde. Il faut bien que la république paie ses dégâts ! Beaucoup d'édifices religieux ont été endommagés à la révolution.

— Le clergé n'était pas en reste… Il s'est également chargé de faire disparaître une symbolique qui lui échappait et qui était propre aux bâtisseurs. Combien de frontispices n'ont pas été amputés de certaines figures sous prétexte que ça sentait le soufre ! Sans oublier des vitraux d'origine enlevés parce qu'ils ne laissaient pas passer la lumière !

— L'église s'est toujours protégée dans les périodes obscures, mais elle a su également s'ouvrir au monde et se moderniser. Tenez ! Un exemple, la messe n'est plus dite en latin, rétorqua le curé.

— A propos de latin, mon Père, les mots *interiora terrae lapidem*... ça évoque quoi, pour vous ?

— Rien à ma connaissance... Du moins, ils ont été extraits d'un contexte étant donné leur déclinaison. Votre phrase n'est pas complète. Par exemple, lapis signifie pierre, lapidem aussi, mais comme je vous l'ai dit, dans un contexte particulier... Non, je ne vois pas... dit-il en riant et il ajouta en se moquant complaisamment de Thomas : Encore quelque chose de sulfureux !

Le vent souleva la poussière, Thomas ferma les yeux. Le curé demanda :

— Vous êtes de nos paroissiens ? Je ne vous ai jamais vu.

— Non, je suis en mission pour une compagnie d'assurances. Je connais bien la région, ma famille est originaire de Telgruc.

Le curé salua Thomas et l'invita à l'un de ses offices. Thomas se dit que ce n'était pas pour demain. Sa fréquentation de l'Église se résumait aux baptêmes, mariages et aux enterrements. Il évitait les premiers. Il ne courait pas après les derniers.

Il partit en direction du port. Toujours ce vent. Le

ciel se chargeait de nuages menaçants. Il sentit quelques gouttes de pluie.

Il longea le quai Toudouze, côté mer. Le bateau de
Jos Gourmelon était toujours là. Il s'arrêta pour le
regarder.

On entendait des coups de marteau provenant de
la cale. Les nasses étaient entassées sur le pont arrière, prêtes à servir s'il n'y avait pas eu ces fichus
ennuis mécaniques.

Il se tourna pour repérer un bar quand il vit une
petite silhouette courant en direction du Styvel. Il
reconnut la casquette.

— Alain !

L'enfant s'arrêta net. Il regarda autour de lui et
repéra Thomas.

— Thomas ! s'écria-t-il et il traversa pour venir le
rejoindre.

— Que fais-tu là ?

— J'allais te voir à l'hôtel, dit Alain, en embrassant spontanément Thomas.

— Louise sait que tu es là ?

— Oui.

— Sûr ? demanda Thomas. Il penchait plutôt pour
une réponse contraire.

— Euh… M'oui…

— M'oui ou oui ? Ce n'est pas la même chose !

Alain baissa la tête, fixant sa paire de tennis, l'air
embarrassé. Thomas le réprimanda.

Ils entrèrent dans un café situé en face du bateau

de Jos Gourmelon. Il y régnait une odeur sure d'alcool et une atmosphère enfumée.

Thomas commanda un demi de bière et un Coca puis demanda à téléphoner. Le patron, un gros homme moustachu aux yeux globuleux, les manches retroussées sur deux énormes avant-bras poilus, servit les boissons en se mouvant avec lenteur puis posa le combiné sur le comptoir sans dire un mot. Il alla se rasseoir sur son tabouret. On eût dit un phoque. Les clients reprirent leurs conversations interrompues par l'arrivée de ces deux étrangers.

Au bout du bar, des consommateurs béats écoutaient un homme tonitruant. Ses paroles étaient ponctuées par les rires gras de son auditoire, subjugué par les âneries qu'il débitait.

« L'amuseur public », pensa Thomas. Il apprit plus tard que c'était l'un des mareyeurs du port.

— Allô ? Thomas de Rosmadec à l'appareil. Je vous rassure, Alain est avec moi… Oui… Oui… Ah ?

Thomas écoutait les griefs de Louise concernant le comportement d'Alain, non sans avoir saisi de l'autre oreille des allusions douteuses de la part du mareyeur à l'encontre de la couleur de peau de l'enfant, probable victime d'une marée noire.

Il termina sa conversation avec Louise et raccrocha. Les mains à plat sur le comptoir, il regarda un instant l'appareil, puis il se retourna et s'adressa au brocardeur :

— Eh ! Quand les cons feront la lessive, je t'appellerai !

Silence soudain dans le bar.

L'heure n'était plus à la rigolade, mais à l'instant où se jouent les événements à venir… En prévision d'une réaction épidermique du mareyeur, les clients s'écartèrent. Les deux hommes se trouvèrent face à face.

— Ça veut dire quoi ? demanda le mareyeur.

Thomas, déterminé, intima :

— Tu présentes tes excuses !

— On a bien le droit de plaisanter, répondit le mareyeur, en fanfaronnant, surpris du défi devant sa cour.

— Je répète, tu présentes tes excuses ! insista à nouveau Thomas, d'un ton intransigeant.

Le patron du café descendit de son tabouret et ramassa rapidement les verres vides du comptoir en respirant fortement. Il craignait une issue fatale. Il regarda le fautif et lui fit un clin d'œil pour lui signifier qu'il avait intérêt à mettre un bémol et à obtempérer.

— C'est bon… Je les présente… C'était juste pour rire, dit le mareyeur, vexé.

Thomas souleva Alain et le jucha sur un tabouret puis s'accouda au comptoir pour terminer sa consommation.

L'ambiance du bar avoisina le degré zéro jusqu'au départ précipité du mareyeur.

Les langues se délièrent alors petit à petit. Le patron prévint Thomas. L'homme avait reçu un camouflet. Il pouvait l'attendre à sa sortie du bar. Ce à quoi Thomas répondit qu'il ne l'impressionnait pas.

Le fourgon blanc de marque Renault stationné devant le café démarra en trombe.

— Il est parti, dit un client.

— C'est une grande gueule… On est habitués, dit le patron du bar.

— En tout cas, je n'aimerais pas travailler pour lui, ses employés ne sont pas à la noce tous les jours ! dit un vieux, assis à une table devant un ballon de rouge, les deux mains en appui sur sa canne.

Thomas détestait ce genre d'individu et ces refuges sordides où des soiffards s'étourdissent pour échapper à la platitude de leur vie.

Il régla les consommations et quitta les lieux.

Dès qu'il fut dehors, il s'adressa à Alain :

— Toi et moi, nous avons à parler… J'ai eu Louise au téléphone… elle n'est pas contente et je la comprends. Quand tu vas faire les courses avec elle, tu chapardes ; sans compter le paysan qui est venu se plaindre chez elle, parce que tu cours sans arrêt dans le champ après ses vaches…

— Mais…

— Il n'y a pas de mais ! Tu m'écoutes… Tu as aussi détaché le chien du voisin, il n'arrive plus à mettre la main dessus. On retrouve aussi Monsieur sur le port, en train de discuter avec les marins pêcheurs, alors qu'on le croit dans sa chambre. Non, mais… Tu sais ce que je risque si quelqu'un porte plainte ? Et toi aussi !

— Je ferai plus. C'est promis… dit Alain.

— Ce soir, tu dînes avec moi. Ensuite, je te ramène chez Louise.

Thomas savait qu'il n'y avait pas de quoi fouetter un chat. De simples bêtises d'enfant.

XI

Comme tous les matins Marguerite Ledu se rendait à la bibliothèque pour y faire le ménage.

— Bonjour, Monsieur le curé !

— Ah !… Bonjour Marguerite, excusez-moi, j'avais l'esprit ailleurs.

— Avec Notre Seigneur, comme d'habitude, Monsieur le curé ?

— Euh… Oui ! C'est ça, avec Notre Seigneur. A propos, Marguerite, je peux compter sur vous mercredi pour la permanence de la maison paroissiale ?

— Bien sûr, Monsieur le curé !

Elle lui tapait sur les nerfs avec ses "Monsieur le curé". Cette déférence exagérée allait à l'encontre d'un apostolat qu'il voulait dynamique. Il préférait qu'on l'appela par son prénom, comme les saints. Même s'il était loin d'en être un. Cependant, il devait reconnaître que la dévote lui rendait beaucoup de services. Pour rien au monde, le Père Marcel n'aurait manqué l'un des rendez-vous avec ses confrères des paroisses voisines. Une fois par mois, ils se réunissaient pour deviser sur leurs sacerdoces et les actions à entreprendre pour endiguer la désertion des rangs de l'église au profit des derniers courants religieux à la mode.

Pourtant, le haut dignitaire ne ménageait pas ses efforts, en voyageant à travers le monde, cramponné à l'arceau de sa papa mobile ou à sa crosse…

— A bientôt, Monsieur le curé !

— Au revoir, Marguerite.

Il poursuivit son chemin d'un pas vif, le nez au vent, fixant derrière ses lunettes une ligne d'horizon imaginaire.

A quoi pensait-il avant de rencontrer Marguerite ? Ah oui ! Lapidem… Voilà deux jours que cet homme lui avait posé cette question, depuis elle trottait dans sa tête. « Lapidem… Aérolithe, pluie de pierres ? Non, puisqu'elle était *interiora terrae*, dans la terre. Pierre d'amour alors ?… La pierre a toujours été un symbole pour les civilisations. Le menhir ou le linga, pour les Bretonnes comme pour les Indiennes, était pierre de fertilité… En Irlande, à Tara, se dresse Lia Fail, la pierre du destin… A Rome, on accordait à la pierre noire de Pessimonte, transportée d'Asie sur le mont Palatin, des pouvoirs invisibles… Pierre noire également pour l'Islam, celle de la Ka' ba, ensachée à La Mecque… » Avec ça, il y avait de quoi en perdre son latin ! Il pouffa de rire.

« Tiens ? Un gamin de couleur, devant l'épicerie. Connais pas ! Curieux à cette époque de l'année ! »

L'ecclésiastique traversa la chaussée pour le rejoindre.

— Bonjour mon garçon ! Je ne t'ai jamais vu. Tu es de Camaret ?

— Non.

— Tu es en vacances, alors ?

— Non.

— Tu n'es pas bavard !

Alain haussa les sourcils en même temps que les épaules et regarda les yeux malicieux de l'homme qui lui adressait la parole.

— Je suis le curé ! Tu sais ce que c'est qu'un curé ?

— … ?

— Ah ! Je comprends, tu es musulman.

— Je suis Français, répondit Alain.

— Ça, c'est une nationalité, pas une religion. Dans quel pays es-tu né ?

— Le Mali.

— Oui… Eh bien, moi si tu veux, je suis comme le marabout. Tu connais le marabout ?

— Oui.

— Tes parents habitent Camaret ?

— Non, je suis avec Thomas de Rosmadec.

— Ah ! Oui, je l'ai rencontré, il y a deux jours. Quel est ton prénom ?

— Alain.

L'épicière observait la scène du fond de son magasin.

Elle ne put s'empêcher de sortir et se mêler à la conversation.

— Bonjour, Monsieur le curé, c'est pas pour dire mais c'est un sacré garnement !

Le curé prit un air étonné.

— Oh ! Comment ça ?

— C'est un petit voleur… Il vient dans la boutique et quand je suis occupée à servir les clients, il en profite. Ah ! Il est malin. C'est Louise Berthelot qui le garde, elle n'a pas la vie facile avec lui. Moi, si j'étais à sa place, il y a longtemps que…

— Vous n'êtes pas à sa place, madame Corcuff.

— C'est pas pour dire mais…

— Justement, madame Corcuff, ne dites rien.

Il s'adressa à Alain :

— Tu sais, petit, Notre Seigneur a dit : « Tu ne voleras point. » C'est dans *Les dix commandements*. Tu connais Moïse ?

— Moïse ? L'épicier qui fait crédit à la grosse Lucie ? dit Alain.

— Non, Moïse c'est notre prophète. Il a reçu les dix commandements sur le mont Sinaï, le Décalogue, toute une histoire…

— Si vous croyez que c'est avec des sornettes pareilles que vous réussirez à lui faire comprendre qu'il ne doit pas voler, je vous souhaite bien du courage ! Sans compter toutes les bêtises qu'il fait… Tout le monde en parle ! Ça fait rire certains, pas moi.

— C'est pas méchant, juste une petite brebis égarée.

— Une graine de voyou, oui !

— Oh, oh ! Madame Corcuff, vous dépassez les bornes. Qui n'a pas commis de fautes ? Tenez ! Moi-même…

— C'est ça, dites-lui que c'est bien tant que vous y êtes ! Ah ! On n'a pas fini !

— Allons, c'est encore une âme innocente, inutile de lui jeter la pierre… « Tiens ! » se dit le curé. « Décidément, lapidem… Eh Oui ! La lapidation des Macédoniens. » Et vous, madame Corcuff, quand aurai-je le plaisir de vous voir à la messe ? ajouta-t-il d'un air goguenard.

— Euh… J'ai trop de travail. Le dimanche matin, j'ouvre l'épicerie. Bien obligée avec la concurrence des grandes surfaces. Le bon Dieu a une solution pour moi ?

— Nous avons les vêpres, madame Corcuff.

— En tout cas, je ne veux plus le revoir chez moi !

— Qui ? Dieu ? ironisa le curé.

— Non, lui ! dit-elle, en désignant Alain du menton.

— Allez, viens, mon enfant, ne restons pas là !

Le curé prit Alain par la main et haussa les épaules en levant les yeux au ciel et marmonna :

— *Miserere mei Domine*, pauvre femme…

Il ajouta :

— Tu vois, mon fils, ce n'est pas bien de…

— Je suis pas ton fils, répliqua Alain.

— Je sais, je sais, c'est une expression. Puis, s'adressant à lui-même à haute voix :

— Marre de ce formalisme en décalage entre les jeunes et les représentants de l'Église. Ça fait pas branché !

— Chébran, rectifia Alain.

— Hein ! Qu'est-ce que tu racontes ? Peu importe, je suis le serviteur de Dieu, point barre. En tout cas, ce n'est pas bien de voler.

— Mais quand t'as faim et pas d'argent, tu fais comment ? demanda Alain.

La question désarçonna le curé. Surpris, il regarda Alain.

— Autant que je sache, tu n'es pas concerné par cette situation puisque tu vis avec Monsieur de Rosmadec.

— Ouais ! Mais à Paris, la grosse Lucie, elle n'a pas beaucoup d'argent, alors je me débrouille.

— Qu'est-ce que c'est cette histoire ?

— Ben oui…

— Ben oui, quoi ? Rosmadec, c'est pas ton père ?

— Non.

— Je comprends de moins en moins. Ce n'est pas grave, tu vas me raconter ça. Viens, on va s'asseoir sur le banc, en face du port.

Alain expliqua son existence chaotique au curé, sidéré.

— Tu diras pas que je t'ai dit, à cause de la police, tu jures ?

— Hum… Non ! Je ne jure pas. C'est ta confession, disons un secret entre nous. Tu sais, la police, moi non plus, je ne l'aime pas beaucoup. Figure-toi que les gendarmes m'ont collé une amende parce que je n'avais pas ma ceinture de sécurité, alors hein ! Il eut un geste de la main pour dire qu'il se foutait de la maréchaussée comme de sa première soutane et se leva du banc.

— Bon ! Je te raccompagne chez Louise Berthelot.

— J'ai pas envie.

Sur ces entrefaites, Gustave, marin pêcheur à la retraite, rejoignit le curé et l'enfant.

— Salut Marcel, salut mousse ! lança-t-il de sa voix éraillée. On cause ?

— Salut Gustave ! Tu parles d'un phénomène, il ne veut pas retourner chez Louise Berthelot, répondit le curé, en désignant Alain d'un mouvement de tête.

— T'as qu'à me le laisser, Marcel, pour que je lui raconte la suite…

— La suite de quoi, Gustave ? demanda le curé, d'un air soupçonneux.

— La campagne de pêche en mer d'Irlande avec le "Notre-Dame de Palud"… L'hiver, c'était pas de la rigolade, pas vrai, mousse ? Ah ! Nom de D…

— Ah ! Non, Gustave, laisse Dieu tranquille ! coupa le Curé. Il n'a rien à voir avec ça !

— Ben… Y'a des fois on aurait bien aimé qu'il nous aide dans les coups de tabac, le bon Dieu ! Pas vrai, mignon ? dit Gustave en prenant Alain à témoin. T'inquiète, Marcel, après on ira boire un coup et je le ramènerai.

— Un coup, deux coups, je te connais Gustave, après il y aura du vent dans les voiles…

— Tss… Tss… se contenta de répondre Gustave, suffit de border la toile et ça file droit. Question d'habitude.

— Bon, je compte sur toi ! insista le curé.

Le vieux briscard le regarda d'un air moqueur et hocha la tête pour signifier au prêtre qu'il pouvait partir tranquille.

*

* *

Le soleil tentait une timide percée à travers un ciel de traîne cotonneux. Sur leur passage, les nuages faisaient varier la luminosité des façades des maisons. Toujours ce vent et cet air chargé d'humidité saline.

Un petit chien blanc à poil ras avec des taches fauves trottinait, le museau au ras du sol. Ses oreilles battaient la cadence de sa démarche de guingois. Son moignon de queue pointait en l'air. De temps à autre, il s'arrêtait brusquement, reniflait avec insistance un endroit précis puis levait la patte pour pisser. Satisfait d'avoir marqué son territoire, il repartait et recommençait plus loin.

Thomas le suivait. Il allait chez le marchand de journaux.

Léa avait téléphoné pour l'informer qu'aucune disparition d'enfant Malien n'avait été signalée. Alain avait raison.

Thomas pensa à Léa. Elle avait été contrariée lorsqu'il lui avait appris que son séjour à Camaret se prolongerait. Il ne comprenait pas l'intérêt qu'elle lui portait et que son absence pût l'affecter à ce point.

Il poussa la porte du magasin de presse et huma le mélange d'odeurs d'encre d'imprimerie et de confiseries diverses disposées devant la caisse.

Paul Grimaud parlait avec le marchand de journaux. Il interpella Thomas dès son entrée :

— Bonjour Monsieur de Rosmadec, que pensez-vous du nouveau format du journal *Le Télégramme* ?

— Pratique.

— C'est bien mon avis.

— Ça fait tabloïd, presse anglaise à scandale, intervint le commerçant, avec un brin de déception.

— Tu es arriéré, Charles, dit l'artisan. Avant, tu étais obligé de replier les feuilles trop grandes tandis que là, non. Monsieur de Rosmadec a raison. C'est plus pratique, le journal gagne en lisibilité.

Il se tourna vers Thomas.

— Je vous offre un café ?

— Volontiers.

Thomas acheta son journal.

— Allons-y ! A plus tard, Charles ! lança l'artisan.

Paul Grimaud prit sa tasse de café et souffla légèrement sur la surface du liquide avant de la porter à ses lèvres. Il grimaça en avalant la gorgée trop chaude puis reposa la tasse sur la soucoupe et engagea la conversation :

— Avez-vous réussi à convaincre Pierre de la nécessité de divulguer l'existence des lettres ?

— Quelle nécessité ?

Thomas avala à son tour une gorgée de café qu'il trouva effectivement brûlant et amer, tout ce qu'il détestait…

— C'est une tactique comme une autre. Je reste persuadé que ce n'est pas en taisant l'affaire que nous progresserons.

— Nous devons respecter le choix de Pierre. Rien ne prouve non plus qu'il a tort. Par contre, tout porte à croire que notre écrivain a sa stratégie. Je suis convaincu que ses messages obscurs sont liés à des faits, mais lesquels ? Je n'en sais fichtre rien. L'emploi du latin n'est pas anodin, le choix de la mairie, non plus. Ne perdons pas de vue qu'elle représente l'administration centrale de la ville. On peut supposer qu'il s'adresse à la population par l'intermédiaire de son élu.

— Vous voulez dire que Pierre serait en quelque sorte un porte-parole ?

— Oui. C'est une supposition.

— A votre avis, pourquoi utilise-t-il le latin ?

— Je viens de vous le dire, ces messages sont certainement liés à des faits passés, présents ou à venir, je n'en sais rien pour l'instant. Les lettres anonymes proviennent généralement de personnes qui veulent créer des psychoses. Elles veulent ainsi mener le jeu pervers qu'elles imposent.

— Compliqué.

— Non. Imaginez que vous êtes autour d'une table de jeu. Vous détenez les cartes gagnantes, vous ne les abattez pas immédiatement. Vous laissez faire et observez vos adversaires. Quelle jubilation de savoir que vous détenez la solution tandis que les autres ne comprennent pas, cherchent, calculent, soupçonnent en se demandant quel joueur autour de la table possède les cartes maîtresses. Là c'est pareil.

— Vous voulez me démontrer que nous avons affaire à un pervers, un malade ?

— Sans aucun doute, et certainement à quelqu'un d'intelligent. Nous ne devons pas le sous-estimer, au contraire ! Vous seriez l'auteur de ces messages, vous souhaiteriez qu'ils soient rendus publics ?

— Euh… Oui… Enfin… Paul Grimaud hésitait.

— Vous n'en êtes plus si sûr. Apparemment, ce n'est pas le principal souci de l'auteur qu'ils soient divulgués, sinon il aurait changé sa façon de procéder… Voyez-vous, ce qui me surprend, c'est la répétitivité des trois mots.

Paul Grimaud but sa tasse d'un seul trait. Thomas poursuivit :

— Savoir à quoi se rapportent ces mots… Tant que nous n'en comprendrons pas la signification, nous piétinerons. Le profil, monsieur Grimaud, le profil de l'homme, voilà ce qu'il faut établir. Réunir une foule de détails pour cerner le personnage.

— C'est votre métier, je crois ?

— Il paraît. Thomas se leva pour chercher de la monnaie dans la poche de son pantalon.

— Je vous en prie, c'est pour moi, insista Paul Grimaud.

Thomas eut un geste de la main pour signifier que cela n'avait aucune importance. Il mit d'office deux euros cinquante sur la table, puis sortit du café suivi de l'artisan.

Celui-ci proposa la visite de sa boutique. Elle se trouvait à deux pas d'ici. Thomas regarda sa montre. Après tout, il n'était pas à une demi-heure près. Il accepta.

Les deux hommes marchèrent côte à côte sans dire un mot.

— Tiens ! J'aperçois notre curé, là-bas, dit Paul Grimaud en ouvrant la porte de son magasin. Vous le connaissez ?

— Oui, je l'ai rencontré.

— C'est un homme dynamique pour ses soixante-dix ans. Un atypique à l'esprit vif et brillant et à la grande culture. C'est un ancien aumônier de prison. Nous avons la chance de l'avoir, il se démène pour la paroisse. Parfois, il a d'ailleurs du mal à faire le distinguo entre le civil et le religieux…

Paul Grimaud s'effaça pour laisser entrer Thomas.

— Voici mon installation !

Le décor était sobre. Les murs avaient été récemment blanchis. Les bijoux étaient soigneusement rangés à l'intérieur de vitrines sur pieds, pareilles à des pupitres d'écoliers.

Bagues, bracelets, pendentifs, médailles aux motifs celtes et mauresques s'y offraient à la convoitise de la clientèle.

— Pour l'instant, je me contente de faire de la revente, je m'approvisionne auprès d'un grossiste. L'inconvénient est que l'on retrouve partout ce type de bijoux fantaisies… J'ai le projet de me lancer dans la fabrication, d'acheter la matière pour faire des moules et un four pour la fonte du métal. Ce ne sont pas les idées qui me manquent. J'envisage ensuite de créer un réseau de vente chez des détaillants.

— En cette saison, le commerce doit être calme ?

— Je travaille un peu le week-end. Il est vrai que c'est une activité saisonnière. C'est pour cette raison que je m'oriente vers la fabrication pour meubler cette période d'inactivité, mais aussi pour dégager des marges plus confortables, ça va de soi.

Le regard de Thomas se porta vers des étagères fixées au mur et sur lesquelles étaient exposées des améthystes. Certaines en bloc dans leur gangue, d'autres extraites et présentées dans de petits écrins.

— Ah ! Vous regardez mes améthystes. Il y en a de très belles, là aussi j'ai besoin d'investir dans de l'outillage.

Thomas prit une gemme au ton violet.

Il l'exposa à la lumière et en examina les facettes scintillantes. Songeur, il se retourna vers Paul Grimaud.

— *Interiora terrae lapidem* ?

L'artisan eut un éclat de rire.

— Si le fait de chercher des améthystes fait de moi l'auteur des lettres…

— Ah ? C'est vous qui le dites. Serait-ce un lapsus de votre part ? Avouez que c'est troublant, non ?

— Bien sûr, mais avouez à votre tour que c'est un peu facile. Désolé si votre enquête piétine.

— Piétine… Piétine… Pas autant qu'on pourrait le croire…

— Ah, bon ? Ce n'est pas ce que j'ai cru comprendre…

— Un rien, un petit rien, ajouta Thomas, en continuant à regarder la pierre qu'il tenait entre le pouce et l'index… Vous connaissiez Jean Raguennès et Hervé Traouen ?

— Connaître ! Vite dit. Comme tout le monde, sans plus. Hervé Traouen, un peu mieux. Il m'a rendu service en fabriquant mes vitrines. Sa spécialité était la charpente marine. Il avait accepté de me faire ce boulot, les autres menuisiers étaient débordés. Quant à Jean Raguennès, je le connaissais de vue, il était conseiller municipal de l'équipe sortante.

— Hum… Vous connaissez aussi le mareyeur, celui qui a une grande gueule avec un physique de brute ?

— Qui ne le connaît pas ! Il chercherait à être discret qu'il n'y arriverait pas. Quand on naît con, on est con.

— Je suis d'accord avec vous.

— Il a succédé à son père à la tête de l'affaire. Heureusement, celui-ci garde un œil sur la gestion. Il connaît son rejeton.

Thomas remit l'améthyste dans son écrin. Il regarda la pierre reposant sur le tissu velouté du coffret. Le quartz lançait ses éclats pérennes.

— Je dois vous quitter, je vais à la mairie.

— Vous donnerez le bonjour à Anne Lestel, et bien sûr à Pierre !

*
*   *

Une heure plus tard, Thomas ressortait de la mairie avec la promesse d'obtenir la liste des décès de la commune sur plusieurs mois. Elle lui serait remise demain en fin d'après-midi.

Sans être désobligeante, la secrétaire de l'accueil, une voisine de Louise Berthelot, l'avait prévenu que son petit protégé avait encore fait des siennes.

Il avait donné la liberté aux lapins d'un voisin de Louise. Les léporidés avaient été retrouvés, mangeant sans retenue, çà et là, les légumes du potager, au grand dam du propriétaire. Ce dernier vouait aux gémonies le jeune écervelé responsable du désastre.

Elle conseilla Thomas à demi-mots. Il devait intervenir. Louise Berthelot semblait dépassée par les événements. Thomas décida de régler ce problème dès le lendemain.

XII

— Ne nous méprenez pas, dit Louise Berthelot à Thomas. Tout le monde le trouve sympathique. Il est attachant mais il fait des bêtises pour attirer l'attention… la vôtre. Il veut que vous vous occupiez de lui. Personne d'autre. Je les connais, ces "loustics" !

Thomas minimisa l'accumulation des impers d'Alain. Ils traduisaient le tempérament d'un gamin déluré de la ville. Il s'ennuyait et troublait l'univers organisé d'un voisinage de retraités. Louise Berthelot ne voulait plus prendre Alain en charge d'autant qu'elle n'avait pas, pour lui, l'agrément d'un organisme social. La responsabilité était trop importante. Thomas n'insista pas. Il régla les frais de séjour et prit les affaires de l'enfant.

Alain, pressé de partir, était déjà dans la voiture.

La veille, Thomas avait dîné au Neptune en compagnie de Pierre et Anne. Son ami lui avait confié les clés de sa maison pour qu'il s'y installe.

Cependant, qui s'occuperait de la surveillance du gamin dans la journée ? Anne s'était proposée, elle avait quelques jours de congés à prendre. Amélie avait renouvelé son aide pour l'après-midi. Puis, lui aussi se rendrait disponible. Il fut convenu que la situation serait gérée au jour le jour selon l'emploi du temps de chacun.

Thomas visita la maison de son ami en compagnie d'Alain. C'était une demeure de plein pied aux pierres apparentes, entourée d'un vaste terrain arboré.

Il installa l'enfant dans une chambre jouxtant la sienne. Pierre avait pensé à tout. Le réfrigérateur était rempli de nourriture et de boissons. A la vue des provisions, Thomas proposa quelques suggestions de recettes à Alain. Comme la plupart des gamins, il préféra un bon plat de pâtes.

Durant le repas, Thomas inculqua quelques règles de bonne conduite à l'enfant avec le sentiment qu'elles seraient balayées dès son retour à Paris. Il se sentait mal à l'aise dans ce rôle improvisé de précepteur.

Cependant Alain accepta les remontrances et les conseils distillés sans ménagement. Thomas fut surpris. L'enfant acceptait son autorité alors qu'il refusait par ailleurs tout ascendant à quiconque.

Thomas ne voulut pas que le dîner fut le prétexte d'un récapitulatif de recommandations. Au fil de la conversation, il dévia sur une note plus optimiste. Ils parlèrent de musique et échangèrent sur leurs goûts : Thomas aimait plusieurs courants du rock et le reggae, Alain aussi aimait le reggae mais surtout le rap. Avec ses mots, il exprima son bonheur d'écouter la verve des cités dont il ne comprenait pas toujours le sens, surtout quand les chanteurs étaient américains.

Le rythme syncopé de la musique de style funky lui suffisait. Il effectua même quelques pas de danse puis fit la démonstration de quelques acrobaties hip hop sur le carrelage glissant de la cuisine.

Thomas était épaté par la souplesse de l'enfant, il scandait le rythme sur la table du plat de la main. Dans un élan mal contrôlé et emporté par le désir d'esbroufe, Alain s'étala et termina son exhibition contre un meuble.

Thomas se précipita, l'aida à se relever et applaudit la performance.

L'enfant vexé de son loupé voulut remettre ça, mais le cœur n'y était plus. Il demanda à regarder la télévision. Thomas débarrassa la table.

Il sortit de la poche de sa veste la liste des noms des défunts, relevés par la secrétaire dans le registre d'état civil. Depuis la fin de la journée, malgré son impatience, il n'avait pas encore eu le temps d'y jeter un œil. Sur une feuille, il inscrivit tous les décès antérieurs et postérieurs à ceux de Hervé Traouen et Jean Raguennès. Pour la première période, il remonta à six mois, pour la suivante elle était forcément limitée au mois présent. Il avait ainsi totalisé huit mois, environ.

En aval du décès de Jean Raguennès, il avait noté seulement deux noms inscrits au registre. Le premier concernait un dénommé Yann Inizan. Il fit un rapide calcul entre la date de naissance et celle du décès, cela donnait quarante-cinq ans. Le deuxième s'appelait

Joseph Mérour. Nouveau calcul rapide pour aboutir à soixante-quatorze ans, ce qu'il qualifia d'âge acceptable pour mourir en regard de la moyenne déterminée par les statistiques. Mais rien ne prévalait en la matière puisque Jean Raguennès avait à peu près le même âge et se portait comme un charme. Par contre, le premier eut pu espérer vivre plus longtemps. C'est jeune quarante-cinq ans ! C'est l'âge où l'on a envie de faire plein de choses, même si on ne les fait pas forcément.

Il vérifia en amont à partir de la mort d'Hervé Traouen. Le recensement était plus étoffé. « André Merrien, soixante-huit ans… Maryvonne Cudennec, quatre-vingt-quatre ans, a bien vécu, » pensa-t-il… « Henri Dréau, soixante-cinq ans. Ah ! Celui-ci est décédé à Rouen… Catherine Illien, soixante ans… Jérôme Hascoët, vingt-quatre ans, trop jeune pour mourir… Michel Vigouroux, cinquante ans et François Kersalé quatre-vingt-seize ans, plus qu'il n'en faut. » Entre les décès de Jean Raguennès et d'Hervé Traouen, celui d'une jeune femme nommée Françoise Lecouteur.

Il avait préféré se limiter, pour l'instant, à ces quelques noms. Au besoin il pouvait retourner à la mairie.

Il regarda un moment la liste sans qu'elle puisse en première lecture apporter des éléments tangibles, susceptibles de l'éclairer.

— Thomas, j'ai envie de me coucher.

— Un instant. Éteins la télévision et va te brosser les dents. J'arrive.

— Je suis trop fatigué, répondit Alain, en bâillant.

Cet inventaire macabre ne lui inspirait rien. Dans une enquête normale, un flic aurait été affecté à vérifier, contrôler chacun des cas. Travail fastidieux mais indispensable pour ne laisser aucune zone d'ombre. Ensuite, il aurait fallu informatiser les données, les exploiter avec le logiciel SALVAC capable de faire des recoupements par similitudes. Des journées de travail étaient ainsi gagnées. Il douta de l'efficacité de sa méthode et la jugea désuète. Peut-être perdait-il du temps en se fourvoyant sur une fausse piste ? Il bâilla à son tour, la fatigue était mauvaise conseillère…

— Thomas…

— Oui j'arrive, quelle heure est-il ? Onze heures trente. Ce n'est pas raisonnable !

Quelques minutes après, Alain sombrait dans le sommeil, non sans avoir demandé que les portes des chambres restent ouvertes. Pourquoi cette inquiétude, il ne se sentait pas en sécurité ? Thomas lui passa affectueusement une main sur les cheveux. Il regarda l'enfant dormir en pensant à ce qu'il deviendrait à son retour à Paris. Il devait chasser la question de son esprit, l'avenir de l'enfant ne lui appartenait pas.

Il ne put s'empêcher d'étudier une nouvelle fois la liste. En supposant que Jean Raguennès et Hervé Traouen aient été assassinés, quels liens reliaient les deux hommes ? Aucun peut-être. L'œuvre d'un tueur en série, un psychopathe ? Dans ce cas, des actes et des habitudes connexes permettent de dresser, dans un premier temps, un portrait psychologique de l'individu. Encore un travail de fourmi auquel il avait coutume de s'adonner avec l'aide d'inspecteurs. Ses moyens lui semblèrent une nouvelle fois dérisoires.

Il devait dormir, laisser agir son subconscient, ne pas s'entêter. La réponse viendrait peut-être demain.

Avant de se coucher, il jeta un dernier regard dans la chambre de l'enfant.

Thomas courait sur un vaste terrain désertique. Devant lui, plus loin, une ville d'immeubles. Il tentait de la rejoindre sans succès sous un soleil de plomb. Elle s'éloignait au fur et à mesure de sa progression. Derrière, à distance, Alain le suivait en criant, Thomas… Thomas ! Cet appel semblait lointain. Une main posée sur son épaule le gênait. Il essaya de la dégager. Il n'y arriva pas. Elle était là, insistante. Thomas… Thomas !

Il se réveilla à demi. Il sentit encore la main pressante et son nom chuchoté. Il se tourna sur le côté. Un cauchemar. Il venait de faire un cauchemar. Il devait chasser cette impression désagréable et se rendormir.

Thomas… Thomas… Toujours cette main sur son épaule.

Il ouvrit les yeux.

Là, ce n'était plus du domaine du rêve. Dans la

pénombre, il distingua l'enfant. Alain lui secouait l'épaule en murmurant son nom. Il se redressa sur un coude.

— Qu'est-ce que tu fais là ? Va te recoucher.

— Thomas, il y a quelqu'un qui rôde autour de la maison.

— Quelqu'un qui rôde ? Tu as dû rêver…

— Si, je t'assure. Je l'ai vu, j'ai peur.

— Comment ça ? Tu l'as vu ?

— En allant dans la cuisine pour boire. Je l'ai vu par la fenêtre.

— Reste là. Je vais vérifier… « Que ne faut-il pas faire pour rassurer un enfant ! », pensa-t-il en soupirant.

Thomas se leva puis vint se poster dans l'angle de la fenêtre de la cuisine pour observer l'extérieur. Il habitua sa vue à l'obscurité. Il distingua le contour des massifs de troènes disposés en quinconce pour faire barrage au vent et celui des arbres plantés autour de la vaste pelouse devant la façade de la maison. La barrière de l'entrée était entrouverte. Peut-être avait-il oublié de la refermer. Il ne s'en souvenait plus.

Tout semblait normal.

Il sentit la présence d'Alain à ses côtés. L'enfant n'avait pas résisté au désir de le rejoindre.

— Tu l'as vu ?

— Rien, je ne vois rien, mais ce n'est pas facile avec cette végétation. Tu as peut-être confondu ou cru voir quelque chose. Tu sais, ce n'est pas facile.

Alain prit une chaise. Il monta dessus et observa à son tour.

— Arrête de t'entêter, tu t'es trompé, dit Thomas, en quittant son poste d'observation. Maintenant, il commençait à en avoir assez.

Accroupi sur la chaise pour se faire discret, Alain, têtu comme une mule, continuait à scruter la nuit.

— Il n'y a rien. Viens te coucher, ordonna Thomas.

— Attends… Alain se redressa légèrement sur ses jambes. Il se pencha un peu plus vers la vitre. Là ! Il est là ! dit-il à voix basse, tout excité. Je le vois !

Thomas se précipita à nouveau dans l'encoignure de la fenêtre.

— Regarde ! Alain pointa son index.

— Où ça ?

— Mais là ! dit Alain, en trépignant sur la chaise. Tu vois bien, près de la grande roue !

Thomas plissa les yeux pour mieux voir. Il se rendit à l'évidence. Une ombre se déplaçait !

— Bien vu, mon gars. Il se chaussa à la hâte. Surtout, ne bouge pas de la maison !

Il tourna silencieusement la clé et ouvrit brusquement la porte d'entrée. Il se précipita dehors en direction de l'ombre.

L'homme surpris se retourna et s'enfuit aussitôt en direction de la grille restée entrouverte. Un individu de taille moyenne. Thomas n'eut pas le temps de distinguer son visage à demi dissimulé par un bonnet de marin pêcheur et le col relevé de son vêtement. Le rôdeur claqua le portail derrière lui.

Thomas vint buter contre l'obstacle. Il saisit la poignée, la tourna sans succès en perdant un temps précieux avant de comprendre que la bride retenant les deux vantaux dans leur partie supérieure, s'était rabattue. Il la leva et se retrouva sur la route.

L'homme avait déjà pris une sérieuse avance. Thomas se lança à sa poursuite. Il vit l'ombre bifurquer et disparaître sur la droite. Il arriva essoufflé à l'endroit. Deux possibilités s'offraient à lui. L'entrée d'un champ, puis juste à côté un chemin sombre bordé d'arbres.

Il s'efforça de retenir sa respiration. Il tendit l'oreille pour épier les bruits.

« A quoi bon », se dit-il. Il était inutile qu'il s'aventure sur un chemin qu'il ne connaissait pas, surtout en pleine nuit. Il avait perdu trop de temps en essayant d'ouvrir la grille.

« Alain !… » Il courut en sens inverse et arriva en trombe à la maison. Il buta sur la porte fermée à clé. Il la cogna du poing.

— Ouvre ! Alain, c'est moi !

Clic, clac, la clé fut tournée. Alain ouvrit la porte. Il regarda Thomas de ses deux billes blanches. Thomas le félicita d'avoir eu ce réflexe.

— Tu l'as eu ? demanda Alain.

— Non… trop loin… et trop nuit… répondit Thomas, en haletant.

Un rôdeur venu cambrioler la maison du maire ? Non, ça frisait l'inconscience ! Thomas ne croyait pas à cette version rocambolesque. Qui était au courant de leur installation chez son ami, à part Anne, Pierre et le personnel de l'hôtel réduit en cette saison aux propriétaires et à Amélie, qui étaient les seules personnes présentes le soir au dîner, lorsque Pierre lui avait confié les clés ? Elles étaient à mettre hors de cause. Il chercha. Le mareyeur ? A bien réfléchir, l'allure physique ne correspondait pas.

Quelqu'un voulait l'intimider ou alors faisait un repérage des lieux ? Il pencha plutôt pour cette probabilité ; si tel était le cas, cela prouvait au moins une chose : sa présence à Camaret dérangeait. Quelqu'un l'observait, sans qu'il s'en soit rendu compte. C'était peut-être la preuve qu'il était sur une piste. Pourtant avant de se coucher, il en doutait encore. Il pouvait recenser les personnes rencontrées depuis qu'il était ici. Impossible. Elles étaient nombreuses et sa présence n'était pas passée inaperçue.

Il recoucha Alain après l'avoir rassuré.

Mais Thomas n'avait plus envie de dormir. Il se pencha à nouveau sur la liste des noms. La réponse ou du moins son fil conducteur était là, sous ses yeux. Il en était maintenant persuadé. La fameuse intime conviction.

Il pouvait aussi demander l'aide de Pierre ou de Paul Grimaud pour connaître le passé des disparus.

Pourquoi ne pas commencer par le dernier de la

liste ! Yann Inizan, quarante-cinq ans, décédé à Lannilien. Où était situé ce lieu-dit à Camaret ?

Il se souvint qu'Alain gardait dans son sac les prospectus récupérés à la mairie. Il avait peut-être un plan
des lieux… Sans faire de bruit, il alla dans la chambre du gamin qui dormait à poings fermés. Sacré
Alain. Une aide précieuse, tout de même.

« Bingo ! » aurait-il dit. Il mit la main sur un plan.
« *Presqu'île de Crozon-Camaret-sur-mer. Plan de
situation. Informations pratiques.* » Que demander
de mieux ? Il chercha. Lannilien… Lannilien… Voilà, entre Kervern et Kerguelen, avec la chapelle Saint-
Julien, un peu en retrait de la départementale huit. Il
s'y rendrait demain.

XIII

L'homme se leva du vieux fauteuil de cuir. Puis il referma le livre *Tabella smaragdina*, traité des alchimistes d'Hermès Trismégiste, attribué à Apollonius de Tyane. Un exemplaire rare acheté à Alexandrie.

Il médita la phrase : « *Tout ce qui est en bas est comme ce qui est en haut et ce qui est en haut, comme ce qui est en bas... Toutes les choses proviennent d'Un...* » Les choses et les êtres retournent à Un, c'est-à-dire Dieu... Rien n'existe sans le principe des oppositions mâle et femelle. Le grand œuvre, c'est l'équilibre de l'union du soufre et du mercure.

Pour lui, c'était fini. "Elle" n'était plus là. "Elle" était sa rosée de mai, son émeraude. Sa "Smaragdina", comme il l'appelait.

Il se sentit las. A présent, cela n'avait plus de sens pour lui. "Elle", le mercure, n'était plus. Les noces alchimiques n'auraient jamais lieu.

Il sublimait le grand œuvre et son symbolisme et éclairait de ces écrits sa vie, ses actes.

Jusqu'à l'arrivée de cet enquêteur, tout s'était déroulé comme il avait prévu. Que s'était-il passé ce soir ? Pourtant les lumières de la maison étaient éteintes, il devait dormir… C'était peut-être mieux ainsi, il ne voulait pas de mal à l'enfant. Non ! Il n'était pas un assassin ni un fou, mais un purificateur.

Il devait respecter les règles précises de la "formule", sinon cela n'avait plus de sens. Bien malin celui qui percerait ces arcanes ! Seul importait le rituel qu'il s'imposait… Pour "elle".

Il abaissa l'abat-jour du plafonnier pour mieux éclairer la table et ouvrit l'armoire pour prendre la boîte en carton. Il retira l'élastique, mit les gants de latex et fit l'inventaire des lettres. Il n'y en avait pas assez. Il feuilleta quelques revues et s'arrêta sur un reportage consacré à la Chine. Mauvais souvenirs de sa longue errance initiatique. Il aurait dû se méfier du régime communiste. Un an à croupir dans une prison à cause des difficultés de la langue. Sa quête dans les pays arabes avait été plus enrichissante. Il avait enseigné, puis il avait été lui-même initié par la société secrète des frères d'Heliopolis. Mais là, dans le port d'Alexandrie, il avait appris l'horreur…

Il découpa des lettres et les colla une à une sur la feuille de papier. *Interiora terrae lap…* Il en manquait. Rien ne pressait. Il avait encore quelques jours devant lui…

XIV

Clac… Clac… Clac…

— Ah ! Déjà de retour ? Ce n'est pas un reproche. Au contraire, je suis ravie de vous revoir, dit l'hôtelière en regardant Thomas et Alain. Je vous donne la même chambre !

— On ne peut plus se passer de vous, même pour une nuit ! lâcha Thomas, d'un ton plaisantin.

Un peu émoustillée et gênée par le compliment dont elle ne perçut pas le fond d'ironie, elle minauda en allant chercher la clé, martelant toujours le carrelage de ses talons hauts.

— Vous serez présents pour le déjeuner ? s'enquit-elle.

— Je n'en sais rien. Par contre, vous serait-il possible de vous occuper d'Alain ? J'ai à faire.

— Bien sûr ! Il pourra aider Amélie, enfin s'il le veut…

Thomas prévint Pierre de l'incident… Celui-ci approuva sa décision de regagner l'hôtel. C'était plus sécurisant pour l'enfant.

Son ami fit aussitôt la corrélation entre cet épisode et celui vécu par Anne.

Thomas gara sa voiture dans la cour de la maison de Yann Inizan. En descendant du véhicule, il fut aussitôt accueilli par les aboiements sans conviction d'un chien noir, simplement pour signifier qu'on devait compter avec sa présence. Il se calma quand un autre cabot, haut comme trois pommes, surgit comme un furieux à la rescousse, ventre à terre. De concert, les aboiements redoublèrent.

— Oh, vos gueules ! cria Thomas.

Il regarda l'ensemble des bâtiments. Les volets de l'habitation centrale étaient clos. Des massifs d'hortensias ornaient les soubassements des fenêtres. Des auges en pierre de différentes tailles, disposées çà et là, étaient garnies de plants. Un puits désaffecté, recouvert d'un couvercle en bois, servait de support à des pots de géraniums.

Les chiens détournèrent leur attention de Thomas, pour venir, en remuant de la queue, à la rencontre d'un petit homme malingre. « Probablement leur maître et le voisin de Yann Inizan », pensa Thomas.

Il vint dans sa direction, oscillant avec la régularité d'un métronome et s'appuyant sur une canne pour limiter sa claudication, vêtu d'une veste grise, imprimée Prince de Galles et étriquée, et d'un pantalon bleu marine beaucoup trop large et trop long. « Le dernier chic », pensa Thomas.

A hauteur de Thomas, il leva la tête en fronçant le nez et en esquissant un rictus. Il prit, sans l'ôter, le bord de son bonnet entre le pouce et l'index pour saluer l'étranger. Ses lunettes ressemblaient à des lentilles d'optiques de phares.

— Jourrr… dit-il d'une voix éraillée en fixant Thomas de ses petits yeux. Y a plus personne ici. C'est triste ! ajouta-t-il, en regardant par terre. Parti. Pauv' gars. Qui aurait pensé une chose pareille ?

— Maladie ?

— Suicide. J'étais loin de m'douter, les aut'es aussi.

— Quels autres ?

— Tout l'monde, quoi ! Vous venez pour la maison, c'est ça ? Y a un héritier, j'crois. Un neveu.

— Pourquoi s'est-il suicidé ? demanda Thomas.

— Si j'avais la réponse… Ah ! J'vous la dirais !

— Il avait une assurance-vie. Je travaille pour la compagnie. Qui a découvert le corps ?

— Moi. Là, dans la grange. Il montra le bâtiment du bout de sa canne. J'l'ai vu la veille au soir, pour prendre un rendez-vous à son étude à Crozon. Tout avait l'air de bien aller. On dit qu'il n'a pas supporté le décès de sa mère. J'ai du mal à l'croire. Vous voulez voir où ça s'est passé ? On peut entrer, la porte est ouverte.

Il se dirigea vers le bâtiment. Il tira la lourde porte.

La dépendance servait de remise. Thomas fit un rapide inventaire. Des outils de jardinage, un vieux réfrigérateur, des cageots, une bicyclette, des vieux meubles ainsi qu'un tas d'objets hétéroclites hors d'usage, entreposés pêle-mêle.

— Là ! dit-il, en montrant la poutre centrale du bout de sa canne.

— Cette porte ne ferme pas à clé ? demanda Thomas.

— Non.

— On a un accès direct à la maison par ce bâtiment ?

— Oui. N'importe qui peut entrer. C'est pour ça que je surveille, on n'sait jamais. Attention, j'dis pas ça pour vous…

P'tit Louis détailla sa triste découverte.

Le corps pendait au bout d'une corde, une chaise renversée à ses pieds, d'ailleurs elle était encore là, dans un coin. Thomas la prit. Il la mit à l'endroit supposé en suivant les indications de P'tit Louis. Il jaugea la hauteur entre la poutre et l'assise de la chaise. A vue de nez, trois bons mètres. Il demanda confirmation à P'tit Louis. Ce dernier hésita à se prononcer. Il préféra aller chercher un mètre chez lui.

Il revint accompagné de sa femme, boudinée dans une blouse à fleurs, un fichu sur la tête et chaussée d'une paire de demi-bottes en caoutchouc. La hauteur de trois mètres vingt fut mesurée sur un mur.

— Vous faites ça, pourquoi ? demanda la moitié de P'tit Louis, avec un fond d'hostilité. Physiquement, elle faisait le double de son mari.

Thomas éluda la question en évoquant les statistiques des compagnies d'assurances toujours tatillonnes quand il s'agissait de débourser.

— Elles le sont moins quand il faut encaisser, ronchonna-t-elle.

Thomas était d'accord, mais son métier était de mesurer, point. Il prit la cote entre l'assise de la chaise et le sol. Trente-huit centimètres.

— A quelle hauteur était la tête de Yann Inizan par rapport à la poutre ? demanda-t-il à P'tit Louis.

La femme intervint, jugeant la question saugrenue et regardant Thomas d'un air soupçonneux :

— Ben ! Dites donc, vous êtes pire que la gendarmerie parce qu'ils font moins de chichis, eux. Croyez-moi !

— Ah ! C'est parce qu'ils n'ont pas d'argent à débourser. On en revient toujours au point sensible. Il se tourna vers P'tit Louis. Alors, à quelle hauteur la tête était-elle de la poutre ?

— J'dirais dans les cinquante centimètres, sûr.

— Et, il mesurait combien, monsieur Inizan ?

— Comme vous ! Il détailla Thomas et répéta. C'est ça, comme vous.

Thomas fit un rapide calcul. Un mètre quatre-vingts pour la taille. Hauteur de la chaise trente-huit centimètres, distance de la tête à la poutre, cinquante centimètres, cela fait un total de deux mètres soixante-huit, ôté de trois mètres vingt, cela donne une différence de cinquante-deux centimètres. Édifiant ! Les myopes, quoi que l'on pense, ont une excellente mémoire visuelle car leur handicap les rend plus attentifs. Même en supposant une grande erreur d'approximation, il conclut qu'il manquait au moins une vingtaine de centimètres. Ce n'est rien et beaucoup à la fois. Dans ces conditions, il fallait être fortiche pour se pendre. Ça relevait de l'exploit.

— Vous maintenez qu'il n'était pas déprimé au point de se suicider ? insista Thomas.

— Sûr ! affirma P'tit Louis.

— Plus que sûr, même ! rajouta sa femme. Déprimé ? Moi je dis qu'il n'était pas et si je vous disais qu'en plus, il avait décidé d'aménager la grange où nous sommes pour faire un gîte rural. Sa mère lui avait laissé de l'argent, il avait un tas de projets. Nous on comprend pas ce qui lui est passé par la tête. Pas vrai, Louis ?

— Sûr, répéta P'tit Louis, et un gars dynamique avec ça !

Thomas regarda à nouveau la distance de la poutre au sol et s'interrogea sur la méthode de celui qui avait "suicidé" Yann Inizan. Il devait être fort physiquement ou alors… Il regarda parmi les meubles mis au rebut. L'un d'entre eux aurait-il pu servir ? Non, surtout pas le vieux buffet, encore moins la petite desserte à roulettes ni les chaises branlantes. La seule en état était celle qui avait été retrouvée aux pieds du pendu.

Navrant.

Il lui manquait un élément pour étayer son raisonnement. Un objet indispensable. Même en imaginant que l'assassin ait tué Yann Inizan avant de lui passer la corde au cou, qu'il réussisse à mettre le corps sur son épaule, qu'il monte avec sa charge sur la chaise pour jeter la corde autour de la poutre, le siège n'aurait pas tenu le coup sous le poids des deux hommes. Non, cette hypothèse ne tenait pas debout. Il fut déçu. Il ne pouvait s'attarder par crainte d'éveiller des soupçons chez le couple. Pourtant, il focalisait sur les centimètres manquants. En hissant le mort, la corde avait laissé certainement des traces sur la poutre, mais à trois mètres vingt de hauteur, il ne pouvait pas percevoir ce détail.

— Vous avez ce que vous cherchez ? dit P'tit Louis. Parce que nous, faut qu'on aille au bourg pour faire les courses.

— Vos chiens… ils aboient toujours quand un étranger arrive au village ?

— Ils aboient sur tout. Même la nuit quand ils sentent les renards. Ils passent leur temps à gueuler.

Thomas n'était pas satisfait de sa visite. Pas tout à fait. Il aurait bien posé d'autres questions mais ça frisait l'interrogatoire de flic.

Ils sortirent. P'tit Louis referma la porte de la grange. Thomas s'apprêtait à saluer le couple quand la femme s'adressa à son mari :

— Profite donc pour récupérer ton escabeau.

— Bon sang ! J't'ai déjà dit que j'l'ai récupéré ! s'exclama P'tit Louis.

« L'escabeau ? » se dit Thomas. « Voilà qui devient intéressant. »

— Il y avait un escabeau dans la grange ? Vous l'avez récupéré quand ?

— Euh ! Y a trois jours, quand j'en ai eu besoin, pourquoi ?

Thomas ne répondit pas. Il demanda quelle hauteur il avait.

— Un mèt'e cinquante, dit P'tit Louis.

Thomas avait l'élément manquant : un escabeau d'un mètre cinquante.

Il pouvait à présent échafauder une mise en scène possible. L'assassin s'était servi du marchepied pour hisser le corps ! Ceci dit, la tâche n'avait pas dû être facile. Il avait disposé la chaise comme si elle avait été renversée, sans prendre la précaution de vérifier la hauteur. Dans la précipitation et à l'œil nu, il avait estimé que ça collait.

— Ce sont les gendarmes qui ont libéré le corps ?

— Non. C'est moi avec l'aid' d'un voisin. Justement, on est monté sur l'escabeau pour défaire le nœud et descend'e ce pauv' Yann. Ça a pas été facile. Ensuite on a coupé la corde, parce qu'on pouvait pas supporter de la voir comme ça.

— Les gendarmes n'ont rien dit ?

— Oh, grand Dieu, si ! Les gendarmes, ils ont rouspété, surtout le chef, mais on a cru bien faire, vous comprenez. Qu'est-ce que vous auriez fait, vous ? Hein !

— Comme vous, répondit Thomas pour le rassurer.

*

*   *

Le pied posé sur une bitte d'amarrage, Thomas réfléchissait en regardant l'onde provoquée par le passage d'un canot. Il s'était remis à fumer. La première cigarette lui tournait la tête. A quelques pas de lui, un goéland prit son envol en poussant des cris rauques et plana au-dessus du sillage laissé par la petite embarcation, puis s'immobilisa brusquement en faisant de petits mouvements saccadés des ailes et piqua dans l'eau.

D'une pichenette, Thomas expédia son mégot dans les eaux du port. Ce n'était sans doute pas sa meilleure idée de la journée de s'être remis à fumer. Il releva le col de son imper et continua sa marche solitaire dans la nuit tombante. Il n'avait pas envie de rentrer à l'hôtel.

Il pensa à Léa. Que faisait-elle à cette heure ? Elle devait se préparer à fermer la librairie ou alors attendre patiemment qu'un retardataire choisisse un livre en sollicitant ses conseils.

Léa… Sensible, douce, imprévisible par son anticonformisme. Combien de temps durerait leur union ? Chercher une réponse à cette question, c'était se projeter dans l'avenir. Il n'était pas prêt pour ça.

Il s'arrêta devant le bateau de Jos Gourmelon. De la lumière s'échappait de l'écoutille située à l'extrémité du gaillard avant. Il entendit des coups. Le marin

continuait les réparations. Il s'attarda devant le navire. La lourde embarcation se soulevait lentement à
chaque ressac en grinçant.

Ancré dans la mémoire collective par la mytholo-
gie et les récits d'aventures maritimes, l'attachement
affectif du navigateur pour son navire a la peau dure.
Pour l'instant, avec Jos Gourmelon c'était plutôt le
divorce. Il maudissait son putain de rafiot comme il
le laissa entendre avant d'apparaître par l'écoutille
ouverte.

— Toujours des soucis ? demanda Thomas.

— Ouais et j'en ai marre ! répondit Jos, en s'extir-
pant de l'ouverture, la figure et le bleu de chauffe
maculés de taches de graisse noire. Il ramassa ses
outils dans une caisse en bois et porta celle-ci dans
le roof qu'il ferma après avoir éteint la lumière.

— Je vous offre un coup ? proposa Thomas.

— C'est pas de refus !

A cette heure, le bar était bondé de monde. Il fallait jouer des coudes pour se frayer un passage, les
clients parlaient fort pour couvrir la musique braillar-
de. Le patron s'activait, ouvrant et refermant les portes
du meuble situé derrière le comptoir, tirait à la hâte
des bières avec faux-col, débouchait des bouteilles de
vin rouge, décapsulait, mémorisait les commandes
lancées à la cantonade, encaissait la monnaie, le tout
sans dire un mot tandis que la serveuse acheminait,
tant bien que mal, les consommations, en subissant au
passage quelques plaisanteries salaces accompagnées

de rires imbéciles et servant d'exutoire aux frustrés. Ambiance de bar en fin de journée.

Un consommateur héla Jos :

— Alors ! Ces réparations ? Tu ferais mieux d'acheter des rames !

— Ferme-la ! répliqua Jos, d'une humeur massacrante, imperméable à la plaisanterie. Un demi ! lança-t-il. Et toi, qu'est-ce que tu prends ?

— Pareil ! abrégea Thomas en criant pour se faire entendre.

— Deux ! répéta Jos au patron en montrant deux doigts.

Il sortit un petit carnet blanc d'une poche de son bleu de travail et colla une feuille de papier à cigarettes sur sa lèvre inférieure.

Il prit sa blague à tabac et en tritura le contenu avant d'extraire la dose nécessaire pour rouler une cigarette.

Thomas lui en proposa une manufacturée. Jos, réfractaire à l'industrialisation de son poison, refusa. Il roula de ses doigts noueux la cigarette avec dextérité et la porta à ses lèvres pour humecter la petite bande gommée. A ce moment-là, il fut bousculé et se retrouva avec un bout de cigarette dans chaque main.

— Merde !

— Tiens ! dit Thomas, en lui présentant à nouveau son paquet.

Jos finit par accepter. Il éclusa d'un seul coup les

trois quarts de son verre de bière et ne put contenir un rot.

— Touriste ? demanda-t-il à Thomas.

— Pas vraiment… Enquêteur en assurances pour la mairie !

— Ah ! Tu connais le maire alors ?

— C'est un ami !

— Je le plains. Il a hérité des conneries de l'ancien maire. Il vida son verre et en commanda aussitôt deux autres. La même chose !

— Quelles conneries ?

— Quoi ? T'es pas au courant, le terrain de golf, un fiasco. Sans compter le port pour les voileux. Nous autres, on pouvait aller se faire voir. Pourtant on avait besoin d'équipement. Soi-disant que ça dépend du conseil régional et de l'Europe… Je t'en foutrai, oui ! Pour les touristes, il savait se remuer. Non mais tu te rends compte, un terrain de golf à Camaret, faut être dingue ! Quand il n'y aura plus de pêcheurs, ils seront contents. Entre la taille des mailles des filets, le quota de pêche et celui des bateaux… Y a plus qu'à crever la gueule ouverte comme les poissons ! Des cons, je te dis !

— Le terrain de golf, ça aurait pu marcher…

— Les impôts locaux ça marche aussi et j'te raconte pas les histoires avec ce golf !

— Quelles histoires ?

— Hé ! Jos, tu payes ton coup ? cria un consommateur.

— Fiche-moi la paix, je cause ! répondit Jos. Il revint à la conversation. Quelles histoires, tu demandais ? Des histoires de fric. Y en a qui s'en sont mis plein les poches !

— Ah ! Qui par exemple ? Thomas regarda le patron et commanda deux autres bières.

— Qui ? Ceux qu'ont vendu leurs terrains, pardi ! Des terrains pas constructibles, tu parles d'une aubaine pour eux !

Thomas devait glaner toutes sortes d'informations ; même les plus banales à priori pouvaient se révéler précieuses. Ne rien négliger, fût-ce au sacrifice de quelques bières… Avant de poursuivre, il eut une sérieuse envie de soulager sa vessie. Il vida son verre et s'excusa auprès de Jos.

Le manque d'air, le bruit, la fumée de tabac et sa légère imbibition de malt faisaient mauvais ménage. Ça commençait à swinguer dans son crâne. « La rentabilité de l'établissement au mètre carré doit être assurée », pensa-t-il : ça bouchonnait pour se rendre aux toilettes.

Quand il revint, Jos était en conversation avec un groupe qui lui dispensait des conseils pour venir à bout de ses avaries.

Thomas craignait que les conseilleurs accaparent le marin, mais Jos savait ce qu'il avait à faire, il les mit tous d'accord en les rembarrant. Puis, en homme civilisé, il se tourna de nouveau vers celui qui l'avait invité.

Thomas s'aperçut que, durant sa courte absence, le marin en avait profité pour remettre une tournée.

— Connaissent rien, marmonna Jos de son air bourru. Il roula une cigarette. Cette fois il réussit. Il sortit un Zippo dont la flamme n'avait rien à envier à celle d'un chalumeau et grilla la moitié de la cigarette à l'allumage.

— Comme j'disais, y en a qui se sont régalés avec ce putain de golf…

Thomas fut surpris. Jos ne perdait pas le nord. Il reprit la conversation là où il l'avait laissée. Le marin pêcheur enchaîna :

— Le pognon, j'te dis, y a que ça qui les intéresse, comme la Illien. Il but un coup, tira sur sa cigarette et cracha un brin de tabac. Il se pencha vers Thomas. Il dit sur le ton de la confidence. Elle est crevée maintenant, elle est plus avancée ?

Thomas eut un déclic. Illien, Illien… Il chercha. Ce nom lui disait quelque chose. Mais oui… Mais bien sûr ! Ce patronyme faisait partie de sa nécrologie. Comment se prénommait-elle déjà ? Il avait utilisé une astuce mémnotechnique pour s'en souvenir… Oui, voilà, comme la tsarine, Catherine. Ça devenait intéressant. Il dit :

— Catherine Illien ?

— Ouais, répondit Jos, dans les brumes, sans s'apercevoir que Thomas connaissait le prénom de la défunte.

— De quoi est-elle morte ?

— D'avoir raconté trop de conneries aux gens. Elle était tireuse de cartes. On l'a retrouvée morte à sa table. Tu vas pas m'dire qu'elle aurait pu le voir, non, pour une voyante ! C'était un jour de consultation. Arrêt cardiaque qu'il a dit le toubib. C'est son mari qui l'a trouvée en rentrant. Il tient un bar sur le quai, dit Jos, avec un vague hochement de tête pour désigner un hypothétique endroit et il continua : N'empêche qu'à eux deux, ils palpaient la galette, la lessiveuse était pleine à ras bord ! Des vieux rats, j'te dis. Ils en voulaient toujours plus. Quand il a fallu vendre les terrains, ils étaient aux premières loges. Va savoir s'il y a pas eu des dessous dans cette affaire… Il frotta son pouce contre son majeur et son index pour évoquer une affaire d'argent. Y a toujours une morale, maintenant elle donne à bouffer aux asticots et lui, il s'emmerde dans son café. On s'en jette un dernier ?

Thomas réfléchissait. Il ne répondit pas. Jos interpréta le silence comme une approbation. Quelques secondes plus tard deux verres pleins remplacèrent les vides. Le café se désertait. Petit à petit, le calme revenait. Quelques traînards se cramponnaient encore au bar. Au bout du comptoir, un homme abruti par l'alcool avait du mal à maintenir ses paupières ouvertes. Le patron actionna les vasistas situées en haut de la porte d'entrée pour faire pénétrer un peu d'air frais. La serveuse essuyait les tables et ramassait les verres.

— Traouen et Raguennès, tu les connaissais ? demanda alors Thomas à Jos.

— Ouais, répondit ce dernier, en ressortant sa blague à tabac de sa poche.

Silence.

Thomas remarqua que Jos oscillait légèrement sur sa base en roulant sa cigarette. Il sortit la langue, la passa délicatement sur la feuille et mit presque la moitié de sa clope dans la bouche avant de l'allumer. Thomas recommanda deux autres bières.

Jos sembla émerger de ses pensées.

— Ouais, Traouen, Illien même combat. Je charrie un peu. Traouen a vendu par obligation. Son terrain était entre deux lots appartenant aux Illien… Pour Raguennès ? Jos eut un geste évasif de la main pour signifier son manque d'information concernant le personnage.

Il regarda sa montre.

— C'est pas tout, il faut que j'aille !

Il vida son verre d'un trait et dit au patron de mettre la moitié des tournées sur son compte.

Quelques minutes plus tard, Thomas quitta à son tour le bar. Il inspira profondément l'air frais et partit en direction de l'hôtel.

Dommage, Jos aurait pu lui en apprendre beaucoup plus ! Traouen et Illien même combat, avait-il dit. Sûrement et involontairement liés par la même affaire… le terrain de golf. Sans oublier Inizan, le clerc de notaire, faux suicidé. Il y avait fort à parier que ce dernier avait également un lien avec cette histoire… Raguennès ? Il venait faire quoi dans ce pataquès ?

Thomas eut le hoquet. Il avait l'humeur vagabonde après ces bières ingurgitées les unes sur les autres ; sa tête tournait et son pas était incertain.

Il s'arrêta pour pisser dans les eaux du port, en sifflotant et en vacillant dangereusement sur le bord du quai. Il éprouva un vif soulagement, un frisson parcourut son épine dorsale. Il s'assit sur une borne d'amarrage pour allumer une cigarette. Ce soir, il avait trop bu, trop fumé.

La lune se reflétait sur le clapotis des vagues. Il entendit une bicyclette qui passait derrière lui. Il se retourna. La petite lueur rouge du catadioptre dansait dans la nuit. Elle disparut.

Il pensa à Léa.

XV

Une ambiance de kermesse et une fréquentation importante animaient le vide-grenier organisé dans la salle polyvalente.

Les membres du comité des fêtes se frottaient les mains, la recette serait bonne.

Les stands étaient achalandés d'objets les plus divers : bibelots, vieux meubles, microsillons, livres d'occasion et autres babioles étaient proposés aux visiteurs sur un fond musical. Des annonces attiraient les gosiers assoiffés et les estomacs vides vers le pôle restauration. Le tout Camaret était là !

Anne Lestel ne savait plus où donner de la tête entre son stand de vente de parts de gâteaux faits par des camarétoises et la surveillance d'Alain. Au début, l'enfant s'était impliqué mais il avait très vite abandonné après s'être trouvé des compagnons de jeu. De temps à autre, il apparaissait pour prendre subrepticement quelques friandises et disparaissait dans la foule.

Pierre Picard, clientélisme de scrutin oblige, était également venu faire un tour.

Le curé aussi était présent. Il dépassait la foule de

sa silhouette efflanquée, gesticulant, serrant les mains, le sourire aux lèvres, le regard illuminé, ravi de voir ses ouailles rassemblées. Il ne put s'empêcher de s'arrêter devant l'étalage de livres de Roland Quémeneur. Un enseignant à la retraite installé à Camaret depuis une demi-douzaine d'années, après une carrière en Afrique.

Les deux hommes ne partageaient pas le même courant de pensée, loin s'en fallait. Le curé n'hésitait pas à dire de Roland Quémeneur qu'il avait pactisé avec le diable. Au jugement dernier, Dieu ne le compterait pas parmi les siens. Roland Quémeneur s'en fichait royalement. Il avait sa propre philosophie. Il croyait en Dieu, mais sans dogme. Cette discordance était parfois la source de discussions épineuses, mais contrairement à ce que l'on eût pu penser et, au-delà de ces divergences, ils s'entendaient parfaitement. Leur intelligence dépassait leurs différends.

— Salut Roland ! Tu vends un exemplaire de la Bible ? Te voilà transformé en marchand du temple ? dit le curé d'un air taquin.

— C'est plus fort que toi, Marcel ! T'en rates pas une ! Et toi, tu fais du prosélytisme ?

Le curé se rapprocha du professeur.

— *Interiora terrae lapidem*, ça évoque quoi, pour toi ?

— Tu vieillis ou tu es obsédé ? Tu me l'as déjà demandé. Mon cher, ta sagacité m'ébaubit. Tu devrais organiser un concours, qu'est-ce que tu attends pour faire une annonce au micro ?

— Je croyais ton érudition sans bornes, je me suis trompé. Je suis navré. Tu restes au repas ce soir ?

— Certainement.

Le curé poursuivit sa visite et s'arrêta sur le stand d'Anne Lestel.

— Anne, J'ai aperçu l'enfant, il joue sur le parking, monsieur de Rosmadec est-il là ? Je souhaiterais le rencontrer.

— Si vous êtes des nôtres ce soir, c'est possible. En souhaitant qu'il aille mieux… Il est légèrement souffrant.

— En tout cas, cette fête est un succès, je n'ai jamais vu autant de monde. Il retira ses lunettes pour essuyer les verres. J'offre une part de gâteau au gamin ! Vous la lui donnerez. Je vous dois combien ?

— Un euro.

Le curé fut accaparé par une mère de famille désireuse de lui présenter sa fille saisie par une crise de foi, comme elle disait.

Pendant ce temps, Thomas se morfondait à l'hôtel, cloué au lit par un excès de bière et de tabac, aggravé par un probable refroidissement et une indigestion. La somme de ces entorses se traduisait par une bonne migraine, mais il avait le ferme espoir que la prise de quelques cachets d'aspirine et un peu de repos en viendraient à bout et lui permettraient d'être présent au repas de clôture de la manifestation auquel il avait été convié. Sa nuit avait été agitée. Un gant de toilette imbibé d'eau froide, posé sur le front, il se jurait qu'il ne toucherait plus au tabac ni à la bière.

Léa avait téléphoné, elle s'ennuyait de son absence. Elle était prête à sauter dans le premier train pour venir le rejoindre.

Il essaya de mettre à profit ce repos forcé pour faire le point de la situation, mais tout se télescopait dans son crâne douloureux. Il préféra donc ne penser à rien et s'endormit.

A dix-neuf heures, les exposants et les visiteurs partis, les organisateurs de la soirée installèrent les tables, les chaises et la décoration pour le repas du soir, après avoir réduit la surface de la salle à l'aide d'une cloison.

Dans l'après-midi, une équipe avait préparé un énorme kig ha farz sur de vieux réchauds à gaz, installés dans un vieux bâtiment. Il n'était pas question d'utiliser les cuisines aseptisées de la cantine scolaire, normes obligent… Cela ne déplut pas à ceux qui étaient assignés à cette tâche. Ils voyaient là un retour aux fêtes d'antan et l'occasion d'une franche rigolade générale à l'évocation des souvenirs communs.

Aidé de quelques personnes, Paul Grimaud fut chargé de transporter sur les lieux les chaudrons contenant la préparation culinaire.

Marie-Jeanne Cudennec, installée à une petite table, était responsable de la vente des tickets-repas. Une vieille boîte en métal à biscuits faisait office de caisse. Les participants arrivaient. Parmi eux, vers vingt heures trente, Thomas fit son apparition.

Finie la migraine.

Il aperçut Alain, la tenue vestimentaire débraillée. Il apportait son aide pour mettre les couverts sous le regard vigilant d'Anne.

Les convives s'installèrent. Il fallut attendre longtemps l'intervention du président du comité des fêtes qui se félicita du bilan de la journée puis remercia les bénévoles pour leur participation. Il évoqua le souvenir de Yann Inizan et enchaîna sur une note plus optimiste en annonçant le calendrier des animations estivales mis en place par le comité pour la prochaine saison. Il conclut en annonçant que la piste de danse serait ouverte à la fin du repas.

Applaudissements.

Enfin la queue se forma près des chaudrons où chacun, patient, l'assiette à la main, se fit servir avant de regagner sa place.

Pierre Picard et Anne se trouvèrent séparés. Thomas ne sut jamais qui avait ordonnancé les places. Était-ce dû au hasard ou à l'attirance magnétique des contraires ?

Il se retrouva en présence du professeur à la retraite, du curé, de l'instituteur et de l'ex-militaire, conseiller municipal. Mélange explosif des genres qui ne tarda pas à se manifester en l'absence du fameux *lipig*, une sauce faite d'oignons frits dans du beurre, sans laquelle un kig ha farz n'en est pas vraiment un, aux dires de Jean-Marie Le Doaré, natif d'un bourg de la côte Nord.

L'instituteur déclara que cette sauce relevait le goût du plat mais était porteuse de mauvais cholestérol. Il ne fallait pas en rajouter, les légumes étaient eux-mêmes porteurs de nitrates et de pesticides en tous genres.

— Le bio, voilà une nourriture saine ! La progression du chiffre d'affaires de ces rayons dans les supermarchés l'atteste, dit Thomas, histoire de se mêler à la conversation.

Le professeur l'interrogea sur la raison de son séjour à Camaret.

— Simple vérification pour un groupe d'assurances. Et aussi l'occasion de revenir au pays et de revoir mon ami Pierre Picard.

— Vous devez beaucoup voyager ? Pour moi, c'est fini. J'ai posé mes valises ici après une carrière à l'étranger au titre de la coopération. Les pays du Maghreb, l'Afrique noire, notamment la Côte d'Ivoire, dit Roland Quémeneur, avec nostalgie.

— Maintenant, il vend la Bible ! se moqua le curé.

— Marcel ! Marcel ! Qu'est-ce que tu déconnes ? répliqua Roland Quémeneur, en levant les bras au ciel. Loin de moi, l'idée de marcher sur tes plates-bandes. Je me déleste de quelques bouquins. Je te laisse le soin de promouvoir ce genre de littérature… Tiens ! Tu n'as même pas remarqué sur mon stand d'autres ouvrages que tu devrais lire, comme *Les mystères de la tour Saint-Jacques*, Paracelse, Flamel, Fulcanelli… C'est grâce à ces érudits que le monde a progressé. Ils ont osé voir les choses d'une manière différente de celle imposée par l'Église.

— Je te l'accorde. Mais il faut se replacer dans le contexte de l'époque où les charlatans, les faiseurs de nouvelles théories pullulaient et…

— Et qui, quoi ? coupa l'instituteur. Ça remettait surtout en cause la toute-puissance de l'Église qui soumettait un peuple ignorant à ses diktats.

— Vous exagérez ! L'homme s'est toujours posé des questions sur la vie et sur la mort, une existence sans Dieu est bien triste. L'Église a toujours essayé d'apporter des réponses aux interrogations. Elle a toujours été un soutien pour les opprimés. Il y a eu des erreurs, soit ! L'Église… L'Église… Et le bolchevisme n'a-t-il pas fait plus de ravage ?

— Ouais… répondit évasivement l'instituteur. Les opprimés, parlons-en ! Face aux atrocités des nazis, la curie a eu une lourde responsabilité ! Pie XII devait être sourd et aveugle… C'est une explication comme une autre.

— Laissez tomber, mon Père, dit Jean-Marie Le Doaré. Heureusement, il y a toujours eu le sabre et le goupillon pour maintenir l'ordre.

L'instituteur faillit avaler de travers.

— T'es toujours du côté de la matraque, toi !

— Calmez-vous ! Moi, au contraire je suis prêt à soutenir les débats, reprit le curé.

La conversation fut interrompue par un convive. Le micro à la main, il poussa les premières paroles d'une chanson.

L'auditoire réclama le silence total. Un voix grave entonna la complainte de Jean Quémeneur qui avait fini tristement dans les eaux du port de Brest, un soir de cuite. Le refrain fut repris en chœur par les invités :

— « *Il s'appelait Jean Quémeneur*
Il était l' fils d'une demi-sœur
De la fameus' madam' Larmeur
La grande Hortense
Cell' qui tenait un caboulot… »

Le curé se pencha discrètement vers Thomas et lui dit à voix basse :

— J'ai du nouveau à propos de votre question.

— Quelle question ?

— *Interiora terrae Lapidem.*

— Ah !

— J'ai bien réfléchi. Pour moi, il s'agit de mots empruntés à une formulation absconse. Elle contient en elle-même quelque chose d'hermétique. Un sens caché. Vous me comprenez ?

— Expliquez-moi.

— Prenez une pierre plate posée sur la terre. On peut la regarder d'une façon exotérique… c'est-à-dire comme un simple minéral. Selon une croyance peuhle, elle peut avoir un sens ésotérique, avec une face visible tournée vers la lumière, le monde des vivants, et une face cachée tournée vers les ténèbres, le monde des morts. J'ai fait des recherches, l'Église n'a pas…

Il fut interrompu par une salve d'applaudissements saluant la performance de l'artiste en herbe flatté par la reconnaissance de son public. Rêvant aux feux de la rampe, le chanteur céda sa place à une femme corpulente qui enchaîna, les yeux fermés, une main à plat sur la poitrine :

— « *Roses blanches de Corrrrfou !*
Châââque nuit… »

Le curé reprit sa conversation.

— Je disais, l'Église ne donne pas la même symbolique à la pierre. Je connais un moine, à l'abbaye de Landévennec, il pourrait nous éclairer. Il est féru d'ésotérisme, c'est un ancien alchimiste. Du moins, si vous le désirez et si cela a de l'importance pour vous.

— Pourquoi pas ? C'est curieux, mon Père, j'ai l'impression que Roland Quémeneur pourrait aussi nous aider. Tout à l'heure, il a fait une allusion à l'alchimie. Apparemment, il possède beaucoup de livres sur le sujet. Il a nommé Flamel, Paracelse…

— Pff… Laissez tomber ! dit le curé, en haussant les épaules et sans donner d'explications. Faites-moi confiance, le moine en connaît un rayon.

Juste conseil ou jalousie ?

Thomas ne savait que penser de la mise à l'écart de Roland Quémeneur.

Pierre Picard arriva discrètement par derrière et demanda à Thomas :

— Ça va ?

Il regarda le curé et poursuivit :

— Vous êtes intarissable, vous n'arrêtez jamais de parler ?

Puis il se tourna à nouveau vers Thomas et ajouta :

— Je le soupçonne de continuer la nuit.

— Monsieur le Maire, vous n'êtes pas le dernier à discourir, non plus, dit le prêche en pouffant.

« *Châââque nuit je suiiis...* » Dièse ! « *Z'ààà Vouuus !* » On aurait cru un chien hurlant à la mort. La diva locale remit les pieds sur terre. Elle rouvrit les yeux avec un large sourire, elle posa un baiser sur sa main puis souffla dessus en direction du public.

Nouvelle salve d'applaudissements et chœur.

— Une autre ! Une autre ! Quand une femme à bien chanté, tous les hommes, tous les...

Bruit de chaises et claquement des mains, tandis que la horde masculine se précipitait pour embrasser la prima donna, aux nues.

D'autres chanteurs suivirent. Tous aussi méritants à en juger l'applaudimètre, remplacé en la circonstance par le bien connu pifomètre.

Enfin, Pierre Picard intervint. Il déclara le bal ouvert, tandis qu'une nouvelle file se reformait auprès des chaudrons pour un deuxième service.

La musique fit place aux vedettes du terroir. Pierre Picard et Anne Lestel ouvrirent le bal pince-fesses,

sous les regards bienveillants d'un groupe de commè-
res, exquises connaisseuses en psychologie compor-
tementale et dont la fine analyse laissait entendre
qu'il n'y avait plus d'équivoque sur les sentiments
que se portaient ces deux-là.

Le mari de l'une d'entre elles fut plus direct. Il ne
s'encombra pas de litotes. Un chat étant un chat, il
dit sans demi-mesure :

— Oh ! A mon avis, il doit s'la faire.

Cela lui valut la réprobation de la gent féminine
plus délicate, plus nuancée. D'ailleurs, c'était bien
connu, les hommes n'étaient que des cochons et ne
pensaient qu'à ça. Il fut prié de châtier son langage,
mais il se rebiffa :

— Ben quoi ! C'est la nature ! Vous y êtes bien
passées, bande d'hypocrites ! osa-t-il même.

Fier de sa sortie, il s'éloigna sous les regards offus-
qués. Cet homme était une honte. Il n'était pas fréquentable.

La fête battait son plein, la sono un peu forte trans-
portait les couples de danseurs. Il fallait parler fort
pour se faire entendre de son voisin de tablée, les verres ne restaient pas longtemps vides. Les enfants, pris
par le jeu, se couraient après, Alain n'était pas en reste. Un homme s'improvisa animateur. Il racontait des
histoires grivoises entre deux danses. Au gré, les groupes se formaient, ils riaient ou alors parlaient de leurs
préoccupations. Le curé allait des uns aux autres, se
mêlant de tout, avec toujours un mot réconfortant.

Pierre parla avec Thomas en aparté. Il lui demanda si ses investigations étaient fructueuses. Thomas répondit que oui. Même si pour l'instant c'était encore le flou. Il ne voulait pas s'avancer mais il avait le sentiment que les surprises n'allaient pas tarder à venir.

Pierre repartit avec Anne Lestel, resplendissante de bonheur, pour aider les cuisiniers à ramasser le matériel dans le fourgon de Paul Grimaud.

XVI

— Dans la famille Jongleur… Je voudrais… le père.

— Alain ! Tu ne fais pas attention. Tu me l'as déjà demandé.

— Ouais, ben… Je m'en souviens pas.

— Tant pis, à mon tour… Je voudrais…

Abrités d'un vent de sud par la digue, Amélie et Alain jouaient au jeu des sept familles sur le sable de la plage du Corréjou.

La journée ensoleillée était exceptionnelle et la température supportable à condition d'être vêtu d'un bon pull.

Thomas vint les rejoindre. Aujourd'hui, il s'était levé tard, car il s'était octroyé une grasse matinée pour récupérer. La fête s'était terminée au petit matin.

Il s'allongea sur le sable fin et apprécia la caresse du soleil sur son visage.

Il ferma les yeux et se laissa porter par le roulement sourd et régulier des vagues qui venaient mourir sur la plage en chuintant.

Une mouette poussa un cri, une autre répondit.

Instant d'insouciance, l'envie que ça dure.

Il laissa son esprit vagabonder. L'éditeur, son prochain livre, le désir de plus en plus pressant de quitter la capitale pour vivre une vie moins trépidante. Saurait-il s'y adapter ? N'était-il pas trop tard pour réaliser ce rêve en compagnie de Léa ?

Léa qui perdait ses foulards, Léa qui perdait ses colliers, sensuelle, douce, fantaisiste, déterminée. Léa tout simplement.

Il fut tiré de ses pensées par la sirène d'un bateau rentrant au port. Il prit appui sur un coude et regarda le navire. Son étrave fendait les eaux calmes, des goélands et des mouettes tournoyaient autour du navire. Sur le pont, deux hommes s'activaient pour l'accostage.

L'embarcation passa la digue. Elle disparut derrière la tour Vauban à l'entrée du port. Les vagues absorbèrent l'onde provoquée par le passage du bateau et se firent plus fortes.

— Dans la famille Équilibriste… je voudrais la fille.

— Pioche ! répondit Alain.

— Écoute, Alain, j'en ai marre ! s'énerva Amélie. Tu as certainement cette carte. J'en mettrai ma main au feu !

— Moi aussi, j'en ai marre. Tu gagnes tout le temps ! dit Alain, en montrant son jeu.

— Ah ! Tu vois bien, tu as la carte. Tu ne joues pas au poker, menteur !

— Dis, si on allait se promener ?

— Bon, d'accord. Mais à l'avenir, il va falloir que tu respectes les règles du jeu.

— Ouais… Ouais… répondit Alain, en s'étirant.

Amélie ramassa les serviettes sur lesquelles ils étaient assis et les secoua pour en chasser le sable puis les mit dans son sac à dos, tandis qu'Alain regroupait les revues et les cartes à jouer.

— On va se promener où ? demanda Alain.

— A Crozon. On prend ma voiture, j'ai quelques courses à faire.

— *Yes*, super ! Thomas, nous partons ! cria Alain.

— A ce soir ! lâcha Thomas. Il se retourna pour les voir disparaître derrière la digue.

Il profita de cet instant de solitude. Le regard absent, il fixait la pointe Sainte Barbe, sans pensée précise. Un goéland audacieux le tira de sa léthargie. Il s'était posé à un mètre de lui sans faire de bruit. Thomas l'observa. Le volatile ne regardait jamais de face, mais toujours sur le côté, d'un œil interrogatif. L'oiseau fit quelques pas et s'immobilisa. Il pencha légèrement sa tête sur le côté comme pour écouter, l'air de rien, mais sur ses gardes. Il osa encore quelques pas. Il sembla hésiter. On aurait dit qu'il préparait un mauvais coup. Soudain, il se précipita et piqua son bec dans le sable puis s'envola à grand déploiement d'ailes. Il avait repéré un biscuit oublié par Alain et Amélie.

Thomas regarda la mer et s'enfonça dans ses pensées. « Seul. C'est un homme seul. Un solitaire. Il y en a, à Camaret. Entre les veufs, les célibataires et ceux qui ont choisi ce mode de vie… Connaît le latin. Physiquement de taille moyenne, hum… Rien ne permet d'avancer que le rôdeur débusqué par Alain a un lien avec cette histoire ! Rien n'est moins sûr… Le terrain de golf. Pourquoi le terrain de golf ? Tout laisse croire que les maigres indices que je détiens convergent vers ce lieu. Traouen, Illien, Inizan… Inizan, clerc de notaire. Il a du établir les actes notariés… Peut-on commettre des meurtres pour des histoires de foncier ? Ces terrains ne devaient pas avoir une grande valeur… Ils n'étaient pas constructibles d'après Jos. Et Raguennès, que vient faire un élu dans ce jeu de massacre ? Une affaire politico-financière à Camaret ? Absurde ! Pierre serait au courant. »

Il se leva et tapota ses vêtements pour en faire tomber le sable.

Il continua à chercher. « Illien, Catherine Illien retrouvée morte à sa table de cartomancienne… Le médecin… Voilà ! Il a certainement établi un certificat de décès ! De quel droit peux-tu l'interroger ? Tu n'as pas la carte de membre du club des flics ! Il aura vite fait de se réfugier derrière le secret professionnel. Je peux tourner longtemps en rond sans habilitation officielle… Or, le temps presse. »

Il partit vers le quai Toudouze. Il croisa une femme.

— Fait beau aujourd'hui ! lui dit-elle.

— Un temps magnifique !

— Oui, mais ça va se gâter, le baromètre baisse !
Elle poursuivit son chemin.

« Toujours aussi fatalistes, les Bretons », se dit-il.
Dès qu'il y a un rayon de soleil, ils ne savent pas pro-
fiter de cet instant. Ils cherchent des signes dans la
direction des vents, des nuages, le coefficient des
marées, les périodes lunaires, autant de paramètres
qui leur indiqueront que le temps va changer… Quelque part, ils ont raison.

Il regarda une vieille dame. Elle marchait comme
un automate, habillée d'un manteau noir cintré à la
taille, un fichu sur sa tête dodelinante. Elle tenait à la
main un cabas duquel dépassait un bouquet de fleurs.
Ce n'était pas la première fois qu'il la rencontrait. Elle
avançait à petits pas, absente. Sa destination semblait
être sa seule préoccupation.

— Salut !

Thomas se retourna. Un vieux marin, le dos courbé, les mains dans les poches, l'accosta.

— Tu regardes la vieille Soizic ? Elle n'a plus toute
sa tête. Comment s'appelle cette maladie ? Je me souviens plus du nom. Ah, zut !

— Alzheimer ?

— C'est ça ! Des fois, elle ne reconnaît plus personne. Ça fait des années qu'elle va au cimetière fleurir une tombe. C'est même pas de sa famille.

— Ah, bon ?

— Oui. T'es pas au courant ?

— Ben… non.

— T'es pas de Camaret, toi ?

— Non.

— T'es d'où, alors ? Ah ! C'est toi qui es avec un petit Noir ! Nous, on l'aime bien. Il nous fait rire. Ça nous change les idées. Ici, c'est pas toujours drôle. Bon… J'te laisse, j'ai à faire. *A vechal* !

— *Kenavo* !

Thomas continua son chemin. Il s'arrêta devant une galerie de peinture. Quelques tableaux étaient exposés en vitrine. Des huiles sur le thème ici incontournable des scènes de pêche. Marins, vêtus de leurs cirés jaunes, affairés au chalut. Violence des couleurs pour mieux exprimer la dureté d'un métier et conjurer le danger. Visages flous, volontairement inexistants, humilité de l'homme dans sa lutte contre l'élément déchaîné. La mer est souveraine.

A l'intérieur, d'autres tableaux étaient suspendus à des cimaises. Tous aussi colorés. Probablement la même signature.

Il repartit sans but précis, sinon celui de marcher en réfléchissant. La liste ! Il devait la travailler. Il avait l'intuition qu'elle détenait une part de la réponse. Le curé ! Mais bien sûr, le curé pouvait l'aider ! Personne n'était mieux placé que lui. D'une part, il avait officié aux enterrements et, d'autre part, il avait reçu les familles pour préparer les éloges post mortem. Oui, mais il faudrait le mettre dans la confidence. Pardon, la confession.

Après tout, par sa fonction il était lui aussi soumis au secret.

Tiens ! Les viviers. Depuis qu'il était à Camaret, il n'y avait pas encore mis les pieds !

Souvenirs, souvenirs.

Il se rappela ses fêtes d'étudiant. Il venait y faire ses provisions avec Pierre en volant deux ou trois langoustes dans les bassins. L'un d'eux détournait l'attention du mareyeur pendant que l'autre capturait les crustacés, les glissait dans un sac de toile de jute et disparaissait en vitesse. Ni vu ni connu. Et puis, c'était l'accueil triomphal des copains. La plupart avaient des difficultés financières pour se nourrir. Il se souvint. C'était le dernier vivier du quai. Le propriétaire ne devait plus être là. A l'époque, il était déjà âgé.

Il traversa la rue.

Rien n'avait changé ou presque. Il entra dans le premier bâtiment. Personne. Le sol était quadrillé de bassins. Certains grouillaient de poissons d'espèces différentes. Dans d'autres, des homards immobiles s'étaient regroupés dans un angle, un large élastique maintenait leurs pinces prisonnières. Les moteurs des pompes du renouvellement de l'eau couvraient les bruits.

Toujours personne.

Thomas évoluait entre les bassins en regardant leur contenu.

Il arriva près d'une porte en fer piquée par la

rouille. Elle menait aux bureaux. C'est ce qu'il supposa.

Il s'apprêtait à quitter le bâtiment quand un cri l'intrigua. Un cri de femme. Il tendit l'oreille… Cette fois, c'était celui d'un homme. Puis celui de la femme… Puis encore…

Que se passait-il ? Il s'engagea prudemment dans le couloir. Il pourrait toujours prétexter qu'il cherchait une personne pour le servir. Les gémissements de la femme étaient réguliers. Il arriva à une baie vitrée séparant la pièce du couloir, la porte était ouverte.

L'hôtelière ! Qui l'eût cru ! L'hôtelière avec ses mignardises, son air de ne pas y toucher, se faisait trousser sur une table en exultant de plaisir. Il reconnut l'homme, le mareyeur avec lequel il avait eu un différend. Pantalon baissé aux chevilles, les fesses à l'air, il malmenait la bougresse et la table de ses assauts. Spectacle affligeant et risible à la fois. La table céda sous la charge. Thomas entendit les cris d'effraie de l'hôtelière et les jurons du mareyeur.

Il s'éclipsa en réprimant un éclat de rire.

Ah ! Elle pouvait se vanter d'avoir du poisson frais à son menu et dire qu'elle faisait elle-même son marché. Il comprenait mieux sa conscience professionnelle !

*

*   *

Amélie servit le dessert. Des brownies nappés de crème anglaise. Assis sur ses pattes arrière, sur la chaise à côté d'Alain, le chien des propriétaires de l'hôtel, un petit terrier aux origines bâtardes, attendait. Il suivait du regard la cuillère allant du plat à la bouche de l'enfant. La gourmandise était trop tentante.

Las de l'indifférence à son égard, il émit un bref grognement.

Thomas lui tendit une rognure de fromage sur un morceau de pain. Le chien dédaigna la proposition et, impatient, tendit sa truffe frémissante en direction du dessert pour mieux se faire comprendre.

— Tant pis pour toi ! dit Thomas en remisant son offre.

Il se leva et s'adressa à Alain :

— Finis ton dessert, je vais vérifier quelque chose, et toi que fais-tu après ?

Alain eut une moue hésitante.

— Amélie m'a acheté un livre. Je vais le lire dans le salon.

Profitant de ce moment d'inattention et n'y résistant plus, le corniaud se dévissa le cou. Les yeux exorbités, il sortit une langue démesurée pour tenter de lécher le plat. L'enfant leva son bras pour faire barrage et repoussa l'assaut. L'animal ravala sa témérité.

Alain se leva à son tour. Il posa l'assiette par terre. Le chien sauta de la chaise en la renversant et lapa avec frénésie le restant de crème. L'assiette glissait sur le carrelage à chaque coup de langue.

Dans la chambre, Thomas détailla la liste. Il se concentra sur les noms et les âges des défunts. Rien. De dépit, il repoussa la feuille sur la table, se leva et regarda par la fenêtre. Il admit qu'à ce stade, il piétinait, pourtant, il était jusqu'à présent persuadé qu'il tirerait des éléments positifs de cette liste. Il s'était avancé un peu trop vite en disant à Pierre qu'il lui réservait des surprises.

Il s'assit à nouveau et se massa la nuque. Il prit un stylo. Agacé, il le fit jouer entre ses doigts, les yeux rivés sur le papier. Inizan… Traouen… Illien… Il soupira. Toujours rien. En colère contre son incapacité et exaspéré, il se releva pour rejoindre Alain, c'est encore ce qu'il avait de mieux à faire plutôt que s'entêter bêtement sur ce bout de papier.

Il posa sa main sur la poignée pour ouvrir la porte de la chambre. Son geste s'immobilisa.

« Bon sang ! », se dit-il. « Comment n'y ai-je pas pensé ? Mais oui ! Les dates ! »

Il se pencha de nouveau sur la liste, fit un rapide calcul, vérifia pour éviter toute erreur. Un calendrier ! Il lui fallait un calendrier !

Il dévala les marches de l'escalier qui menait dans le hall de l'hôtel.

Il aperçut la nymphe des viviers.

— Un calendrier. Vous avez un calendrier ? exigea-t-il avec impatience.

— Oui… Oui… répondit-elle avec étonnement. Qu'arrivait-il à monsieur de Rosmadec ?

Elle prit par-dessus le comptoir de l'accueil un grand calendrier publicitaire. Elle le tendit à son client en le regardant, éberluée.

Thomas le consulta. Il compta en laissant glisser son doigt de ligne en ligne. Ce n'était plus une coïncidence. Ça alors !

Mais alors, Il n'y avait aucune raison pour que ça s'arrête ! Il compta encore le nombre de jours… Il s'arrêta au huit avril. « Nous y voilà… » se dit-il.

XVII

— Comment ? Tu n'as pas noté les dates ? demanda Thomas à son ami. C'est…

— Eh ! Ne m'engueule pas ! J'étais loin d'imaginer une chose pareille. Je pressentais quelque chose de grave, mais pas ce que tu viens de me raconter.

Thomas fulminait.

— Attends ! dit Pierre, Je vais demander à Anne…

Il saisit le téléphone.

Anne entra dans le bureau. Elle devina aussitôt une préoccupation chez les deux hommes.

— Bonjour Thomas ! lança-t-elle, en l'embrassant.

— Bonjour.

— Que se passe-t-il ?

— Anne, demanda Pierre, as-tu noté les dates auxquelles nous avons reçu les lettres anonymes ?

— Bien sûr !

— Eh bien, voilà ! Inutile de t'énerver, dit Pierre, en adressant un large sourire à Thomas.

— Pas la peine de fanfaronner. N'empêche, s'il n'y avait eu que toi…

— Je vais vous chercher ça, dit Anne en faisant un demi-tour qui donna un mouvement ondoyant à sa robe. D'un brusque mouvement de la tête, elle rejeta ses cheveux en arrière et partit vers son bureau.

Pierre Picard la suivit des yeux.

— Les jours de pleine lune ! Thomas, tu es certain de ce que tu avances ?

— Constate toi-même avec un calendrier ! Thomas montra la liste des noms sélectionnés avec les dates des décès. Cette périodicité n'est pas due au hasard, j'en suis persuadé. J'ai vérifié pour Mérour, Cudennec, Dréau, et Hascoët, il n'y a pas cet intervalle. Bizarre, non ?

Anne revint et apporta les éléments souhaités.

Pierre Picard compara les dates d'expédition des lettres avec celles des décès retenues par Thomas.

— Inizan le dix mars, Raguennès le huit février, Traouen le dix janvier… Pas de doute, ça correspond. Il se renversa dans son fauteuil.

— Correspond à quoi ? demanda Anne.

Pierre Picard l'en avisa :

— Vingt-huit jours séparent la date de réception de chaque lettre. De plus, les dates des décès d'Inizan, Traouen et Raguennès correspondent à des jours de pleine lune et, en remontant jusqu'au mois de novembre dernier, on retrouve le même intervalle de temps pour Illien et Vigouroux…

Puis, il s'adressa à Thomas :

— Nous pouvons douter pour Traouen et Raguennès mais Inizan, lui, s'est bien suicidé.

— Tu peux dire, "on" l'a suicidé.

— Comment ça, "on" l'a suicidé ? Tu as une preuve ?

— Oui, l'assassin a commis une erreur. Une petite erreur. Elle a échappé aux gendarmes, et pour cause, le corps avait déjà été détaché par P'tit Louis et son voisin. Sans ces lettres nous n'aurions jamais fait le rapprochement avec ces accidents ou ce prétendu suicide. Mais cela ne nous dit pas pourquoi il agit ainsi…

— C'est un malade !

— Merci Pierre, sans toi je ne l'aurai pas deviné. Tu n'as pas d'informations plus intéressantes qui pourraient me mettre sur une piste ? Tiens ! Parle-moi du terrain de golf.

— Le terrain de golf ?

— Oui, il n'y aurait pas une embrouille d'argent, par exemple ?

— Pas à ma connaissance… Je ne me suis pas occupé de cette affaire. Je n'étais pas encore maire. J'ai repris le dossier. D'ailleurs, il me donne des soucis, je dois trouver une solution pour la reprise du complexe. Non, Je peux t'assurer que le montage financier ne recèle aucune malversation. C'est un projet que l'on peut qualifier d'absurde pour la commune… C'est sûr… Certains ont saisi l'occasion de se débarrasser de terrains, mais en toute légalité. Pierre Picard sourit. On n'est pas dans une assez grande ville pour tremper dans des marchés douteux. C'est une société d'économie mixte qui gère cet ensemble. La ville et les collectivités locales sont partenaires. Ce complexe est un gouffre à l'exploitation, nous cherchons à nous en séparer. Pourquoi, tu as des doutes ?

— Je ne peux pas l'affirmer, mais il semble que les victimes ont un rapport avec cette opération.

— Moi, je me suis occupé du dossier, intervint Anne, je vous assure que tout est conforme.

Thomas n'insista pas. Il y eut un silence.

— Si nous tenons compte de la périodicité, le tueur ne va pas tarder à se manifester, dit Thomas.

— Un nouveau... Anne n'osa finir sa phrase.

— ...crime, annoncé par une nouvelle lettre que vous recevrez bientôt...

— Que faire ? s'inquiéta Pierre.

— Rien, malheureusement.

— Si je suis ta logique nous devons nous attendre à un autre crime le huit avril ! On ne peut pas rester les bras croisés ! Nous devons prendre des mesures.

— Lesquelles ? demanda Thomas. Tu te vois sillonner les rues de la ville avec une voiture-sono et faire des annonces par haut-parleur ? Pour dire quoi ? Restez planqués chez vous, l'assassin va encore frapper ! Si tu veux ébruiter l'affaire et semer la panique il n'y a pas mieux...

Puis il reprit :

— Un cycle lunaire, ça évoque quoi pour vous ?

— Je n'en sais rien... L'astre a une influence sur l'assassin, il éprouve peut-être un besoin irrésistible de tuer à ces périodes.

— Hé, Tu ne vas pas nous ressortir le mythe du loup-garou ! Moi, j'y vois un symbole, celui du cycle féminin.

— L'assassin serait une femme ? demanda Anne.

— Non. Une femme n'aurait pas eu la force de soulever le corps de Yann Inizan pour masquer le crime en suicide. Je penche plutôt pour la version d'un homme qui veut venger une femme.

*
*   *

Deux personnes attendaient leur tour pour une consultation quand Thomas entra dans la salle d'attente du médecin. Il s'assit sur une chaise paillée inconfortable. Il jeta un regard sur l'indigence du décor de la pièce. La tapisserie défraîchie et une plante assoiffée aux feuilles racornies montraient le peu d'attention apportée à l'accueil des patients. Il prit un magazine sur le guéridon et le feuilleta : reportages sur la jet-set, insouciante des fins de mois difficiles ; poses et sourires étudiés ; drames qui frappaient les artistes. Les pauvres ! Aucun intérêt pour cette presse de caniveau. Il jeta négligemment la revue sur la petite table.

Il entendit des voix indistinctes provenant du couloir d'entrée et un bruit de porte que l'on ouvre et referme.

Silence.

La salle d'attente fut ouverte brusquement.

Taille moyenne, capillarité frontale déficiente, visage émacié, les yeux perçants par-dessus ses lunettes, l'homme de la Faculté attendait avec l'air grave qui sied aux gens conscients de leur savoir. Il n'avait pas de temps à perdre pour éradiquer la maladie.

— Suivant !

Une dame âgée se leva avec difficulté de son siège. Elle fut aidée par le deuxième visiteur, probablement son conjoint qui lui emboîta le pas. La porte fut refermée. Seul dans la pièce, Thomas conclut qu'il était le prochain. Tant mieux. D'ennui, il leva les yeux au plafond. Il s'aperçut que l'ampoule n'avait pas fait les frais d'un abat-jour. Impatient, il reprit une revue et tourna les pages sans y prêter attention.

« Cinq morts ! » avait dit Pierre. Maintenant il culpabilisait de ne pas avoir ébruité l'affaire des lettres. Cela aurait peut-être empêché ces crimes. Comment aurait-il pu savoir que chaque lettre annonçait un meurtre ? Son ami ne devait pas se faire des reproches.

Thomas fut tiré de ses pensées par de nouveaux bruits de pas et de voix dans le couloir.

La porte s'ouvrit de nouveau vivement.

— A vous !

Décidément, cela ressemblait à du travail à la chaîne. Il obtempéra avec nonchalance. Il passa devant le médecin pour traverser le couloir et entra dans le cabinet de consultation.

— Asseyez-vous ! Je vous demande deux minutes. Le toubib s'affaira sur le clavier de son ordinateur.

Le bureau était en tous points différent de la salle d'attente. Mobilier ancien de valeur, tentures aux fenêtres, tableaux aux murs. Sur la droite, une table d'auscultation et l'appareillage de médecine. Un cadre agréable, jugea Thomas.

— Voilà, je vous écoute ! dit le médecin, les yeux toujours rivés sur l'écran.

— Thomas de Rosmadec !

A l'évocation de la particule aristocratique, le médecin eut un léger sursaut et daigna prêter plus d'attention à son patient.

Thomas n'appréciait pas que son nom fut le motif d'un égard particulier envers sa personne.

Pour lui, tout individu, sans distinction de race ou de classe sociale, devait avoir la même considération. D'emblée, il catalogua son interlocuteur dans la catégorie déjà bien encombrée des crétins incurables.

— Je m'intéresse à l'histoire de la région. Rosmadec de Telgruc ? Famille du Baron de Mollac ? demanda le médecin.

— Oui.

— Hum ! fit-il avec un hochement de tête, visiblement honoré par la présence de l'un de ses descendants dans son bureau. Qu'est-ce qui vous amène ?

— Rassurez-vous, je suis en parfaite santé physique. Je mange, je dors, je baise normalement. C'est la tête qui ne va pas. Comment dire ? De drôles d'idées me soucient.

— Expliquez-moi. dit-il, en souriant et en regardant Thomas par-dessus ses lunettes, croyant qu'il avait à faire à un original sans complexe.

— Voilà ! Madame Illien… que vous avez connue, lisait dans les cartes et voyez-vous… Enfin, je me dis que c'est pas normal qu'elle soit morte ainsi. Alors, je…

Il ne manquait plus que l'imperméable, le cigare et le regard dissymétrique à Thomas pour ressembler à un célèbre détective. Le médecin fronça les sourcils et dit d'un air agacé :

— Oui, bon, vous ne venez pas pour une consultation. Où voulez-vous en venir ?

— Ben… A sa mort. C'est bien vous qui avez établi le certificat d'inhumer ?

— Oui. En quoi cela vous regarde-t-il ?

— De quoi est-elle morte exactement ?

— Je ne suis pas obligé de répondre à ce genre de question. Mais, puisque vous insistez, elle est décédée d'un arrêt cardiaque. Après tout, ce n'est un secret pour personne. Tout Camaret est au courant.

— Un arrêt cardiaque ? Soyez plus précis. Comment dit-on ? Infarctus, je crois ?

— Oui et alors ? dit le docteur.

Il se leva pour signifier qu'il désirait mettre un terme à l'entretien. Il retira ses lunettes à demi-foyer et les posa sur le bureau.

Arrêt cardiaque soudain ou infarctus, ça changeait tout. Thomas se leva à son tour, déçu. Le médecin n'était pas amène, mais rien ne l'y obligeait. Il était dans son droit. D'un autre côté, le temps pressait.

— Comment était-elle lorsque vous êtes arrivé chez elle ? Je veux dire dans quelle position était le corps ?

— Écoutez Monsieur, je ne sais pas à quel titre vous m'interrogez. J'ai des visites à domicile à faire et je vous prie de bien vouloir sortir de mon cabinet !

— Vous ne transgressez pas le secret professionnel en me donnant la position du corps !

— Je n'ai pas à vous répondre !

Le médecin était mal à l'aise. Thomas le devina. Il devait prendre un risque en outrepassant certaines règles de politesse. Il demanda une dernière fois :

— Comment était le corps ? Affalé à table ou… ou gisant à terre, par exemple ?

— Je ne répondrai pas. Sortez ! répondit le toubib en désignant la porte.

Le médecin aurait dû se montrer plus conciliant. Il y a des jours où la moindre contrariété peut faire sortir de ses gonds le plus civilisé des hommes.

Thomas estimait jusqu'à présent avoir fait preuve de savoir-vivre. Devant l'entêtement et l'injonction du docteur, son ras le bol prit le dessus.

Marre de ce petit bourgeois hypocrite confiné dans son rôle de notable intouchable, marre de cette enquête, marre de ce tueur, marre de… Il piqua un coup de sang. Il le saisit par les revers de la veste et le secoua avant de le reconduire dans son fauteuil.

— Vous… Vous entendrez parler de moi ! osa timidement le toubib, la tête rentrée dans les épaules.

— Ferme-la ! Ne la ramène pas avec ces conneries ! Le corps, à table ou par terre ? Ce n'est pas difficile de répondre ! Non ?

— Je… Je…

Thomas, hors de lui, brandit la main, prélude à une claque magistrale.

— A table ! lâcha le médecin. Il ferma les yeux et se protégea le visage de l'avant-bras. Il s'attendait au pire.

— Eh ben voilà ! C'était si dur à dire ?

— N… Non.

— Ça t'as semblé normal qu'elle se soit affalée à table ? Imagine la scène ! Tu es assis, la douleur envahit ta poitrine. Tu restes tranquillement sur ta chaise en attendant le pire ? Non ! Tu es angoissé, tu souffres. C'est comme un étau qui serre, t'es mal à l'aise, tu te lèves. Tu cherches une aide, un appui et, soudain, le grand flash. Tu t'écroules par terre… pas à table !

— Bon, bon… Je vais tout vous dire, à une condition… que cela reste entre nous.

— Parle ! On verra pour la suite

— C'est le père Illien. Il m'a appelé le soir vers vingt heures, après la fermeture de son bar. En rentrant chez lui, il a découvert sa femme morte. Quand je suis arrivé, oui, elle était assise la tête posée sur la table. Difficile de faire un diagnostic. Le visage de la femme était cyanosé. Là, j'ai eu un doute. Je l'ai fait remarquer à Illien. Je lui ai dit qu'une autopsie était nécessaire. Par respect pour sa femme, il n'a pas voulu. J'ai hésité, le pauvre homme était trop effondré, et j'ai cédé.

— Morte par étouffement ?

— Je penche plus pour cette version que pour un arrêt cardiaque.

— Donnant donnant, c'est un meurtre. Un meurtre par étouffement.

— Quoi ? C'est… Ce n'est pas possible !

— Eh, si !

— Vous n'allez pas me…

— T'emmerder pour un permis d'inhumer de complaisance ? Non. Tu as été si courtois, dit Thomas, d'un air cynique.

— Vous êtes flic, alors ?

— Ne dis pas de grossièretés, veux-tu ? Je te laisse à tes visites. Nous serons certainement appelés à nous revoir…

XVIII

La bonne du curé fit entrer Thomas dans la salle
à manger du presbytère. Elle lui demanda de patienter. Le style breton en imposait. Meubles en chêne
ciré, sculptés de galettes et pointes de diamant. La
grande table était recouverte d'une toile cirée à car-
reaux. Sur l'un des murs, le Christ crucifié, la tête pen-
chée sur le côté, le regard languissant, implorait le
Tout-Puissant. Un rameau de buis était coincé entre
les branches de la croix.

Le curé fit son apparition.

— Ah ! Monsieur de Rosmadec, ravi de vous voir !

L'ecclésiastique regarda son visiteur de ses yeux
bleus, pétillants de malice.

— Notre petite fête a été une réussite ! Très convi-
viale ! Le kig ha farz, j'adore. Au fait, je n'arrête pas
d'y penser, *Lapidem*, la pierre, *Beith-el*, maison de
Dieu est devenue *Beith-Lehem* maison du pain, Beth-
léem quoi ! Le pain a remplacé la pierre. Il y a aussi
d'autres interprétations…

— Mon père, je dois vous parler de…

— Oui, je sais, je vous ai promis que nous irions
voir le moine à Landévennec.

— Non… Enfin oui, d'accord pour le moine, mais je dois vous entretenir de faits très graves.

Le curé perdit son sourire et prit un air intrigué. L'affaire semblait sérieuse.

— Asseyez-vous. Je vous écoute.

Thomas raconta tout… Les lettres, les crimes commis, son enquête.

Non, il n'était pas le chargé d'une compagnie d'assurances.

Le curé écoutait, la bouche en cul de poule, les yeux grands ouverts, il ponctuait les phrases de Thomas par des exclamations.

— *Interiora terrae lapidem*, c'est le contenu des lettres anonymes expédiées à la mairie. Il faut associer un crime à chacune d'elles. Cinq lettres, cinq crimes. Thomas donna les noms des victimes. Ce n'est pas fini, mon Père. Si nous nous référons à la périodicité de la pleine lune, nous devons nous attendre prochainement à un nouveau meurtre.

— Comment est-ce possible ! Pourquoi ?

— C'est la question que je me pose. La réponse est dans ces trois mots énigmatiques.

— J'ai préparé les enterrements de ces personnes en croyant que… qu'elles avaient été rappelées à Dieu comme…

— Comme tout le monde ? Non, mon Père.

— Nous devons nous organiser pour empêcher un nouveau crime ! Nous ne devons pas rester les bras croisés !

— Certainement, mon Père. Je sais par expérience que les tueurs en série ont leurs habitudes. Leur façon de procéder est toujours la même. Le profil de leurs victimes est toujours identique. Une incertitude cependant, on ne connaît pas forcément les circonstances événementielles qui déclenchent leurs pulsions meurtrières, donc la période à laquelle ils vont frapper. Dans le cas présent, c'est le contraire, nous connaissons la périodicité. Par contre, le profil des victimes n'est pas le même. Tout ce que je peux dire pour l'instant, c'est qu'elles semblent avoir un lien avec le terrain de golf… A part Vigouroux, sur le cas duquel je ne me suis pas encore penché.

— Michel Vigouroux ? Ne cherchez plus ! C'était l'ouvrier chargé de l'entretien du terrain. Il a péri dans l'incendie de l'atelier, une cabane en bois isolée par mesure de sécurité. Une maladresse en manipulant des produits désherbants puissants. Il paraît que Vigouroux aurait commis une négligence en versant le produit d'un fût dans un autre récipient. Les vapeurs dégagées par le produit se seraient accumulées dans le petit local et se seraient embrasées alors qu'il allumait une cigarette. Pourtant, les consignes d'interdiction étaient affichées à l'extérieur sur la porte. C'est la version de l'enquête.

— Cela conforte ma conviction. Tous ces crimes ont bien un rapport avec le terrain de golf.

— Quand allons-nous à Landévennec ? demanda le curé, impatient.

Il se sentait entièrement concerné maintenant qu'il était impliqué dans l'affaire.

— C'est à vous de décider, selon votre emploi du temps.

— Cet après-midi ! La paroisse attendra, à présent le temps presse. Je passe vous prendre à l'hôtel. Nous irons avec ma voiture, dit-il, d'un ton directif comme s'il prenait l'affaire en main.

— Entendu… Une dernière question, mon Père, Roland Quémeneur enseignait quelle matière ?

— Le français. Pourquoi ?

— Je suppose qu'il a des notions de latin, voire de bonnes connaissances. Il pourrait nous apporter son soutien…

— Taratata ! Je le connais, Roland, il va nous faire une montagne pour aboutir à rien.

— Vous le jugez sévèrement.

— Moi ? Non… C'est une idée que vous avez ! se défendit le curé. Je suppose que vous tenez à une certaine discrétion ?

— Oui.

— Roland n'est pas un bavard. Ce n'est pas ce que j'ai voulu dire. Mais, moins il y aura de monde au courant, mieux ce sera.

Quelle était la rivalité larvée entre le curé et Roland Quémeneur ? Thomas sortit du presbytère. Selon le proverbe, il progressait lentement mais sûrement même si, dans son for intérieur, il savait qu'il n'empêcherait pas le prochain crime.

Alain et Amélie arrivaient vers lui.

— Où allez-vous ?

— Aux viviers ! répondirent-ils ensemble. On va chercher du poisson. La patronne n'a pas le temps, un car de retraités de Douarnenez vient d'arriver. Ils déjeunent au restaurant ce midi, ajouta Amélie.

Thomas ne put s'empêcher de rire.

— Méfiez-vous des poissons ! Il y en a un qui n'est pas fréquentable !

— Que voulez-vous dire ?

— Le mareyeur !

— Ah ! Ouais je connais, répondit Amélie avec un sourire en coin. Il peut la garder sa sardine ! Avec moi, ça ne marche pas !

*

*   *

Thomas avait serré tout ce qui était possible. Les dents, les fesses, les mains sur la poignée de maintien. Au volant de sa voiture, le curé n'arrêtait pas de parler à grand renfort de gestes. Il fonçait sur l'objectif : l'abbaye de Landévennec.

L'effet de vitesse était accentué par la vétusté du véhicule. Les amortisseurs fatigués ne jouaient plus leur rôle de stabilisateurs, avec pour conséquence une embardée dangereuse dans chaque virage. La voiture frôla souvent la sortie de route. L'homme faisait corps avec la machine. Mais pas un seul boulon ne fut perdu et le père se gara sans encombre sur le parking visiteurs de l'abbaye.

Connaisseur des lieux, il emprunta l'allée bordée d'arbres menant à la nouvelle abbaye. L'endroit était empreint de solennité. Un calme absolu régnait. Le curé bifurqua sur la gauche. Il voulait montrer rapidement à Thomas les ruines de l'ancien monastère et le chantier des fouilles.

— La construction neuve a moins de charme, mais les moines y sont mieux logés que dans les vieilles pierres, affirma le curé en rajoutant qu'ils n'étaient pas là pour faire du tourisme et que le moment était mal choisi pour s'appesantir sur le passé.

Ils se présentèrent à l'accueil. Un moinillon au visage serein les reçut. Il alla chercher le frère Grégoire.

— Il fait son noviciat, chuchota le curé, en parlant du jeune religieux.

Ils eurent le temps de visiter la boutique où les moines commercialisaient entre autres produits leurs célèbres pâtes de fruits, lorsque le frère Grégoire apparut.

Le moine reconnut le curé. Il afficha un sourire contenu en lui serrant la main. Thomas n'eut pas droit aux mêmes égards. Il fut salué par un signe de tête courtois avec toujours ce sourire de mansuétude. L'ecclésiastique les pria de le suivre.

Ils entrèrent dans une pièce chichement meublée d'une table et de quatre chaises. « Austérité monacale oblige », pensa Thomas.

— Ça me fait plaisir de te voir, Marcel.

Le religieux, très âgé, parlait lentement. Il posait sur ses visiteurs un regard bienveillant.

— Pareillement, répondit sobrement le curé, avant de rentrer dans le vif du sujet. Grégoire, Monsieur de Rosmadec voudrait connaître la signification de l'expression *interiora terrae lapidem !* Je sais que tu as un grand savoir sur les locutions. En plusieurs langues d'ailleurs, dit-il, en aparté en se penchant vers Thomas.

Le moine ne réagit pas au compliment et c'est avec la même impassibilité qu'il dévisagea Thomas.

Le silence devint pesant.

— Vous êtes un initié ? se décida à dire le moine

— Initié ? Non, répondit Thomas. Tout juste sur les choses de la vie. J'en apprends tous les jours sur la nature humaine.

— Que connaissez-vous de l'alchimie et de sa cosmologie ?

— Rien. Sinon la transmutation des métaux par le feu pour obtenir de l'or qu'à ma connaissance, personne n'a jamais réussi. Ça ferait partie d'une certaine utopie.

Le moine fit un geste d'apaisement avec ses deux mains avant de prendre la parole :

— Ceci est le cadre opérant de l'alchimie. Il cache l'art royal, la quête de l'absolu pour posséder la gnose. « Fondez l'univers et reformez-le. » La connaissance parfaite de soi peut se résumer ainsi. C'est un long chemin à parcourir. Le néophyte doit être patient, humble. Vous aussi, vous devez chercher. N'est-ce pas le travail de tout alchimiste ?

Le moine semblait fatigué.

— Grégoire, pour nous, c'est très important de savoir.

— Je peux te mettre sur la voie, Marcel.

Thomas intervint :

— Frère Grégoire, nous vous devons la vérité. Il y a un individu qui se sert de ces mots pour accomplir des actes abominables…

— Vous me surprenez. Si un individu se sert de ces mots pour commettre des actes répréhensibles, ce n'est pas un alchimiste. C'est contraire à leur philosophie.

On frappa à la porte. Le jeune moine entra.

— Frère Grégoire, le Supérieur vous attend pour la cérémonie.

— Oui, Je viens.

Le moine se leva.

— Excusez-moi. J'ai veillé toute la nuit. L'un de nos frères est décédé…

Il s'adressa à Thomas :

— L'image que l'on se fait de l'alchimiste est celle d'un homme qui s'active à son "athanor" ou à ses cornues. Comme je vous l'ai dit, c'est la partie opérante mais il y a un autre aspect de cet art, c'est la partie spéculative, la connaissance des choses, de l'univers, de soi, de Dieu. Pour en revenir à ces trois mots… le voyage intérieur permet de mieux se connaître et de se parfaire. Dieu nous a fait à l'image de la terre. Vous touchez là à une parabole qui est la quintessence même de l'alchimie. Elle a servi à cacher le résultat de certains travaux… Il vous manque quatre mots. Cependant et par respect à notre tradition, je ne peux vous en dire plus. Que la paix intérieure soit avec vous !

« Tu parles ! », pensa Thomas en le saluant à son tour. « Toujours facile de tenir ces discours quand on vit cloîtré… » Il ne se serait pas privé de titiller le religieux en l'absence du curé.

Il quitta la pièce et laissa les deux hommes.

Quelques minutes après, le curé le rejoignit l'air soucieux.

— Je suis désolé, le résultat est décevant. Sincèrement je m'attendais à mieux mais on ne peut aller à l'encontre de ses principes. Il nous a dit de chercher. Soit, cherchons !

Thomas ne répondit rien. A la condition de ne pas trouver la réponse du rébus à la saint glin-glin…

Le retour en voiture fut tout aussi tourmenté. Le moine leur avait donné du grain à moudre, qu'importe !

— *Felix qui potuit rerum causas cognoscere !* lança le curé.

— Pardonnez-moi, mon Père, mais inutile d'en rajouter. Entre les circonlocutions du frère Grégoire, mon ignorance en latin et les formules abstruses, je démissionne !

— Je traduis ! Heureux celui qui a pu pénétrer la cause secrète des choses ! dit le curé en maltraitant sa boîte de vitesses avant d'aborder une côte. Vous avez bien noté les derniers propos du frère ? Moi, c'est là-dedans. Il tapota son crâne avec son index.

La voiture aborda la descente de la rue des Quatre Vents. Le curé klaxonna et salua un couple en agitant son bras par la vitre ouverte de la portière. Son capital de sympathie parmi la population était indéniable. Thomas lui proposa de prendre un verre avant qu'ils se séparent.

Le curé hésita et finit par accepter après avoir regardé sa montre. On l'attendait à la maison paroissiale pour la préparation d'un baptême. Thomas, le moral dans les chaussettes, pensa que, dans peu de temps, ce serait pour celle d'un enterrement.

Dans le bar, ils furent accueillis amicalement par des « Salut Marcel ! ». Le curé ravi leva les bras et embrassa la salle du regard.

— Salut tout le monde !

XIX

Mathieu Jaouen abattit lourdement sa main sur le réveil pour faire taire la sonnerie. Il se gratta la tête, émit un bâillement sonore à s'en déboîter la mâchoire. Émergence au petit matin quand les obligations de la vie l'emportent sur le désir de rester sous les draps, au chaud…

Mathieu ne s'embarrassait pas de ces petits bonheurs de l'existence.

Il sauta du lit et enfila son pantalon. L'esprit encore engourdi, le corps douloureux. Il s'étira pour mettre la mécanique en marche.

Du dos de la main, il souleva le rideau blanc ajouré de la fenêtre et regarda dehors. Il faisait encore nuit. Il le savait. Mais ce premier geste était inscrit dans ses habitudes quotidiennes.

Il prit la vieille cafetière émaillée, versa son contenu dans une casserole, puis alluma la gazinière. Tandis que le liquide chauffait, il prit son blaireau et se barbouilla le visage de savon puis affûta son rasoir en appliquant des allers et retours à la lame sur une lanière de cuir.

Il se rasa méthodiquement devant le petit miroir

rectangulaire cerclé de métal blanc, accroché par une chaînette au-dessus de l'évier de la cuisine. Dans l'un des bacs, reposait une bassine en plastique remplie d'eau dans laquelle il rinçait la lame en l'agitant.

Comme tous les jours, le café se mit à bouillir. Il se précipita sur le bouton pour éteindre le gaz. Il termina sa toilette sommaire par quelques ablutions d'eau froide sur le visage. Ça finissait de le réveiller.

Il versa le café dans son bol et s'attabla. Il appuya le grand pain rond contre sa poitrine et en coupa une tranche, puis il beurra consciencieusement la tartine.

Le chat, pelotonné sur une chaise, l'observait. Il sauta sur les genoux de Mathieu pour quémander sa part.

Pompon, c'était son nom en hommage à ses attributs anatomiques de mâle, s'installa face au bol, la tête dépassant au ras de la table. Il attendait que son maître découpe à l'aide de son canif les bouts de pain qui lui étaient destinés. Le matou, dont les origines raciales remontaient aux gouttières, happa la nourriture et la mâcha en hochant la tête à chaque coup de dent. Instant de plaisir des petits matins, partagé par l'homme qui aspirait bruyamment ses gorgées de café entre deux bouchées, et l'animal qui ronronnait, les yeux mi-clos.

Mathieu se resservit un bol de café et roula une cigarette entre ses gros doigts gourds. Signal de la fin des agapes pour le chat. Il quitta les genoux pour regagner sa chaise et faire un brin de toilette.

La cigarette terminée, Mathieu enfila ses bottes de caoutchouc sur d'épaisses chaussettes de laine, décrocha du portemanteau sa tenue imperméabilisée vert grenouille et la revêtit.

Ce matin, il s'était levé plus tôt que d'habitude, comme à chaque fois qu'un bateau devait être mis en cale sèche pour réparation. Il était responsable du mécanisme de treuillage du slipway. L'opération était soumise aux horaires de la marée.

Il habitait, face au port, une pièce unique au premier étage d'un immeuble. Il descendit lourdement l'escalier menant au couloir de l'entrée et prit son vélo.

Dehors, le vent frais lui cingla le visage. Il enfourcha sa machine et prit une allure tranquille après quelques bons coups de pédales. Chaque tour de roue était ponctué par un grincement précis, têtu. Chuit… Chuit… Chuit…

Les premières lueurs de l'aube filtraient à travers un ciel chargé de cumulus.

Face à l'hôtel Le Neptune, Mathieu négocia un virage sur sa droite, pour s'engager sur l'étroite chaussée longeant la digue et séparant la plage du Corréjou du cimetière des bateaux.

Il passa devant les carcasses échouées puis continua vers la chapelle Notre Dame de Rocamadour.

Soudainement, il serra ses mains sur les poignées des freins. Le vélo s'immobilisa. Il posa un pied à terre.

Non, il n'avait pas rêvé ! Depuis des années il faisait le même parcours. Il le connaissait dans les moindres détails. Aujourd'hui, dans la demi-clarté de l'aube naissante, il avait relevé une anomalie. Cela valait-il la peine de faire demi-tour ? Au diable ! Il verrait ça ce midi, en rentrant chez lui pour déjeuner.

Il pencha légèrement son vélo sur le côté et à l'aide de son pied, il remonta la pédale et repartit. Ce qu'il avait vu ou cru apercevoir lui tarauda l'esprit jusqu'à la chapelle.

Ne résistant plus à la curiosité, il amorça un virage et revint jusqu'aux vieilles coques. Mathieu posa son vélo à terre. Il s'accroupit pour mieux distinguer ce qui lui avait paru anormal. Un vêtement ou quelque chose de ressemblant, ce n'était que ça ! Probablement oublié par ce petit garçon noir qui jouait souvent ici ou alors par un touriste distrait. Ça arrivait.

Ou peut-être…

Il sauta sur les galets qui s'entrechoquèrent en roulant sous ses pas. Il atteignit la bande sablonneuse sur laquelle reposaient les poupes des bateaux.

Maintenant il voyait nettement. Il resta figé sur place. Là, sous ses yeux, une main dépassait d'une manche. Il avança prudemment d'un pas, puis deux. Il fit l'horrible découverte du corps d'un homme gisant comme un pantin disloqué dans le fond du bateau. Le bras dépassait de la coque éventrée. Il s'approcha un peu plus. Il reconnut Henri Omnès, la tête ensanglantée, les yeux mi-clos, la bouche ouverte.

Les jambes de Mathieu se mirent à trembler. Malgré la fraîcheur du petit matin, il sentit une légère transpiration sur sa peau. Il eut envie de vomir. Toucher l'homme pour savoir s'il avait encore un souffle de vie lui était impossible.

Il se retourna pour échapper à cette vision cauchemardesque. Il aperçut, venant en direction de la jetée, une petite lumière dansant sur la route, pareille à une luciole. Il la fixa jusqu'à ce qu'elle parvienne à sa hauteur.

C'était un ouvrier du chantier naval Traouen. Il arrivait également à vélo.

— Salut Mathieu ! Qu'est-ce que tu fais là ? Le bateau va arriver !

Mathieu ne put répondre. Il leva un bras pour lui faire signe de venir. A son tour, il sauta sur les galets pour le rejoindre.

— Oh, Bou Diou ! Il est… mort !

Mathieu était désemparé. Impuissant, il haussa les épaules. Il s'écarta pour régurgiter son petit-déjeuner.

— Vite, va téléphoner de l'atelier et reviens ! Je reste là ! cria le copain.

Choqué, Mathieu obéit. Il retourna péniblement vers la jetée, comme un homme ivre. Il enjamba le cadre de son vélo, les jambes cotonneuses, et pédala en direction des chantiers.

Le bateau attendait, le flanc face au slipway. Sa sirène retentit dans le port.

*
* *

Thomas ouvrit les yeux et s'étira dans le lit. Le coup de corne du bateau l'avait tiré de son sommeil. Le jour commençait à poindre à travers les rideaux de la chambre.

— Il doit être tôt, pensa-t-il.

Nouveaux coups de sirène plus longs, plus insistants. Puis, plus rien.

Le réveil affichait huit heures. Il regarda Alain. Il dormait encore. Il ne put s'empêcher de se poser la question. Qu'allait-il faire de l'enfant à son retour à Paris ? Le temps passant, la séparation serait plus dure... pour tous les deux. Ils s'habituaient l'un à l'autre. Trop. Alain ne s'en souciait pas ou feignait de ne pas y penser. Que se passait-il dans sa tête d'enfant, comment voyait-il son avenir ? Devait-il lui demander son avis à son âge ? Il faudrait bien qu'ils en parlent le moment venu.

Manque d'air. Thomas avait la sensation d'étouffer. Trop de chauffage. Il eut envie de respirer de l'air frais. Il se leva et entrouvrit légèrement la fenêtre. Il reçut les bruits extérieurs. Moteur de bateau, grondement étouffé des vagues, cris de mouettes. Sonorités habituelles du port. Ce qui l'était moins et qui attira son attention était un brouhaha d'origine humaine. Curieux, il souleva un pan du rideau et regarda à la fenêtre. Il vit plusieurs véhicules stationnés à l'entrée de la jetée, dont l'ambulance des pompiers, le gyrophare en action. Le fourgon de la gendarmerie arrivait tout juste. La date, le huit avril ! Il se précipita dans la salle de bain. Sous le jet de la douche, il pensa : « Encore un "accident", sans aucun doute… » Il ne s'était pas trompé. Après s'être habillé rapidement il débaula dans le hall de l'hôtel. Il vit Amélie et s'adressa à la jeune femme.

— Que se passe-t-il ?

— Un accident, répondit Amélie.

— Je vais voir !

Il se mêla aux curieux et se faufila discrètement jusqu'à parvenir à proximité des pompiers et des gendarmes. Il reconnut le médecin. Accroupi, il examinait et palpait le cou d'un homme inerte. Il se releva et s'adressa à l'un des secouristes.

— J'ai fini, vous pouvez enlever le corps.

— Non, attendez ! s'interposa un gendarme. Nous devons prendre des photos et marquer l'emplacement du cadavre.

Thomas observa la scène.

Le médecin l'aperçut. Il ramassa son matériel dans sa serviette et vint vers lui.

A voix basse, il lui confia :

— Un accident ou un… Voyez, ce n'est pas facile. C'est un examen approximatif. Je constate le décès et sa cause… Fracture de l'occipital, les premières cervicales ont été sérieusement touchées, la moelle épinière aussi. Je laisse la suite aux gendarmes. Pour votre information, la mort remonte à plusieurs heures. Probablement vers minuit ou une heure du matin.

— Vous le connaissiez ?

— Oui, un alcoolique invétéré. Ça peut expliquer sa présence ici, répondit le médecin en le saluant.

Thomas regarda la hauteur du pont du bateau. L'homme serait monté dessus. Il serait tombé malencontreusement par l'un des trous béants donnant directement sur le fond de la cale. Une explication évidente, surtout pour un éthylique ! Celle qui serait sans doute retenue…

« Autre explication, pensa toujours Thomas, la victime a reçu un coup mortel à l'arrière du crâne avant d'être déposée dans la cale. »

Il rattrapa le médecin qui s'apprêtait à monter dans sa voiture et lui suggéra cette hypothèse.

— Plausible. Sans examen approfondi, je ne peux pas le prouver. Bien sûr, les tissus sont marqués, cela peut-être consécutif au choc causé par la chute. Seule, une autopsie serait déterminante. Personne n'en demandera une pour ce pauvre bougre. Il faudrait des doutes sérieux de la part des gendarmes ou de moi-même pour que le procureur fasse intervenir un médecin légiste. Alors, je fais quoi, à votre avis ?

— Rien.

Le médecin resta interdit.

— Là, vous m'étonnez !

— Attendez le rapport des gendarmes… Je suis prêt à parier que ce sera un accident. Vous ne risquez rien. Vous avez fait votre travail, moi je continue mon enquête. Pour l'instant, je ne dispose pas d'informations me permettant de supposer que le malheureux a un lien avec l'affaire qui m'intéresse. Je ne connais même pas son nom.

— Omnès, il s'appelle Henri Omnès.

Thomas se tint à l'écart. Il observait. Le corps fut emmené. Les trois gendarmes faisaient des relevés. Comme d'habitude en pareil cas, un attroupement de curieux s'était formé.

Au bout du Sillon, le bateau donna quelques brefs coups de sirène. L'équipage s'impatientait.

— On m'attend ! s'inquiéta Mathieu, revenu sur les lieux.

— C'est bon, vous pouvez y aller, dit l'un des gendarmes. On ira vous entendre sur le chantier.

Mathieu, engoncé dans sa tenue verte, repartit vers le slipway. Le temps pressait. On l'attendait.

Thomas frissonna. Dans sa précipitation, il avait quitté l'hôtel sans prendre la précaution de s'habiller chaudement. Il sentit quelques gouttes de pluie. Il leva les yeux vers un ciel gris qui ne laissait de la journée à venir aucune incertitude sur la médiocrité du temps. Il était inutile qu'il reste là.

Il rejoignit Alain.

Il déjeunait de bon appétit en trempant ses tartines de pain dans son chocolat. A chaque bouchée, il avançait le menton au-dessus du bol pour que le surplus de liquide dégouline dans la tasse. Étranger aux règles de maintien de la baronne Rothschild, il savourait à sa façon. C'était l'essentiel.

Thomas s'installa en face de lui.

— Il y a eu un accident.

— J'ai vu… par la fenêtre de la chambre, répondit Alain, la bouche pleine.

— Tu ferais bien de faire attention lorsque tu vas jouer sur les coques.

— Hum… fit Alain, d'un air de bravade en soulevant une épaule.

Clac… Clac… Clac…

— Bonjour, Monsieur de Rosmadec… Ce sera comme d'habitude ? Eh bien ! Quelle idée a eu ce malheureux d'aller dans un endroit pareil… La nuit, en plus ! J'y pense, vous avez reçu un appel téléphonique de la mairie.

— Vous pouvez toujours me servir mon café, en attendant, je vais appeler de la chambre !

Thomas eut Anne Lestel à l'appareil. Une nouvelle lettre identique aux autres était arrivée ce matin. De surcroît, elle venait d'être informée de l'accident. Thomas lui dit qu'il était prématuré de faire une relation. La journée ne faisait que commencer. Pierre était-il au courant ? Oui, mais il serait absent une bonne partie de la matinée. A son retour, il irait à la gendarmerie pour connaître les conclusions de l'adjudant.

— Dis à Pierre que je passerai en fin d'après-midi à la mairie, précisa Thomas.

Il regagna la salle du restaurant. Alain avait fini son petit-déjeuner.

— Je peux sortir ?

— Habille-toi chaudement, recommanda Thomas en s'attablant.

Clac… Clac… Clac…

— J'ai gardé votre café au chaud, Monsieur de Rosmadec. Je vous l'apporte !

Elle revint en tenant la cafetière de porcelaine blanche et la posa sur la table.

— Faites attention, il est très chaud. Je n'arrête pas de penser à ce malheureux. On le connaissait. Parfois, il donnait un coup de main à mon mari pour l'entretien de son bateau. Enfin, quand il était à jeun ! Pour la bouteille, il ne se privait pas.

— Il travaillait ?

— Comment aurait-il pu ? Non, il vivotait de petits boulots. La mairie a voulu l'embaucher pour l'entretien du terrain de golf, mais il n'a jamais voulu.

— Ah ! Et pourquoi ?

— Ça, c'est une vieille histoire… Par respect pour sa mémoire, je préfère me taire.

— S'il vous plaît, un petit effort…

— En quoi ceci peut-il vous intéresser ? Ne m'obligez pas !

Thomas était embarrassé. Cette femme lui rendait un grand service en s'occupant quelquefois d'Alain. Il ne pouvait commettre d'impair en faisant du chantage sur ses infidélités.

Peu importe, d'autres l'aviseraient du passé d'Henri Omnès.

Le terrain de golf ! Encore un personnage qui avait, semblait-il, une implication avec le terrain de golf !

Le téléphone sonna.

— Excusez-moi, Monsieur de Rosmadec. J'ai un appel.

— Je vous en prie !

Clac… Clac… Clac…

— Hôtel "Le Neptune", bonjour ! Oui, nous avons des chambres, pour quelle date ?

Thomas termina sa tasse de café. Sentiments diffus, sensation de bien-être de l'instant, incertitudes quant à la journée à venir…

XX

— Voyez-vous ! J'ai beaucoup réfléchi aux paroles du frère Grégoire, dit le curé. Vous en souvenez-vous, au moins ?

— Oui, répondit Thomas. Il était question de voyage intérieur, de se parfaire, de se connaître. Connais-toi toi-même, en quelque sorte !

— Bien ! Mais cette formule est de Socrate. Un Grec. Rien à voir avec ce qui nous intéresse.

Thomas lui coupa la parole :

— Socrate n'a pas laissé d'écrits, mais il avait des disciples, Platon par exemple et ensuite Pliton. Ce dernier a inspiré le christianisme. Loin d'être un érudit, je crois savoir que les alchimistes ou pré-chimistes se sont beaucoup inspirés de ces philosophes. Ils avaient déjà percé les secrets de la matière.

— D'accord ! approuva le curé, mais laissons tomber les Grecs. Le frère Grégoire nous a mis sur la voie de l'alchimie, or nous savons que les alchimistes codifiaient leurs travaux soit en latin, soit par des phrases obscures en intercalant tout simplement des lettres à l'intérieur d'un mot. Par exemple pierre pouvait s'écrire ypiebrbrey. Le curé écrivit le mot sur une feuille de papier et la montra à Thomas. Alors, imaginez une phrase complète écrite comme cela, sans écart entre les mots… Bon courage !

— Où voulez-vous en venir exactement ?

— Attendez !

Le curé sortit deux petits verres à pied du buffet breton. Il servit deux gnoles d'une bouteille estampillée d'une étiquette manuscrite. Il but sa dose cul sec.

— Ça réchauffe l'intérieur !

Il était vrai que la température du presbytère ne faisait pas beaucoup monter le mercure.

— Je continue ! dit-il, en se resservant une autre dose en prévision d'un possible refroidissement. Ce qui nous intéresse, c'est le latin.

— Absolument ! Thomas se demandait sur quel terrain le curé l'entraînait.

— A la bonne heure ! Que fait un voyageur, Monsieur de Rosmadec ? Il… Il…

— …

Devant le peu de sagacité de son interlocuteur, le curé, d'impuissance, laissa tomber ses bras sur la table.

— Un voyageur. Il voyage, Monsieur de Rosmadec ! Or, le mot en latin est *Viaticum*. On peut aussi dire qu'un voyageur, visite. *Visita*. L'intérieur : *interiora*. Je reprends l'allusion du frère Grégoire. Dieu nous a fait à l'image de la terre. La terre, *Terra. Terrae* : de la terre ! C'est ce qui est écrit dans les lettres anonymes. Il nous reste *Lapidem*, la pierre… Il manque un verbe. Après, je bute. Ça nous fait quatre mots sur sept, c'est bien ce que nous a dit le Frère Grégoire, non ?

— Ne s'agirait-il pas de la fameuse pierre philosophale chère aux alchimistes ?

Le curé regarda Thomas avec des yeux ronds.

— Mais voilà, pourquoi pas !

Il en profita derechef pour se réchauffer "l'*intériora*". Il vida son verre et remplit celui de Thomas.

— Nous progressons, Monsieur de Rosmadec.

Thomas l'informa du décès d'Henri Omnès. Le curé était déjà au courant. Il ne lui connaissait pas de famille proche, sinon de vagues cousins. Il leur demanderait une participation afin que le défunt puisse bénéficier d'une sépulture à peu près convenable. Il offrirait la messe. C'est tout ce qu'il pouvait faire.

— Vous connaissez son passé, mon Père ?

— Non, je suis à Camaret depuis trois ans seulement.

— Une question directe. Pourquoi écartez-vous Roland Quémeneur. Il pourrait nous aider ? J'insiste, il possède des ouvrages sur l'alchimie.

— N… Non…, hésita le curé, en mettant ses lèvres en bec de canard. C'est inutile. Ce n'est pas en exhibant des livres au mètre linéaire que l'on possède forcément la connaissance. Un paysan a souvent plus de sagesse et de philosophie qu'un intellectuel. Les choses peuvent être dites simplement. Mais on peut aussi se gargariser de mots. Là commencent l'incompréhension et la polémique.

— Vous faites allusion à Quémeneur ?

— Je ne nomme personne, je généralise.

« Discours de jésuite », pensa Thomas.

Le curé empruntait des chemins détournés pour lui faire comprendre qu'il ne tenait pas à l'ingérence du professeur dans cette histoire. Il préférait se garder la primeur de la résolution de l'énigme des lettres. Cela tenait plutôt à une puérile jalousie inavouée.

En associant le professeur à leur recherche, c'était pour Thomas, l'occasion de mieux le connaître et peut-être de lever un doute. Cependant, il ne tenait pas à froisser l'ecclésiastique en prenant cette initiative. Mais le refus du curé ne lui facilitait pas la tâche.

Thomas quitta le presbytère, le feu à l'estomac. La gnole du curé était un véritable tord-boyaux dont le taux d'alcool pouvait rivaliser avec un puissant désinfectant. Cadeau sans doute offert par un paroissien intentionné.

Il releva le col de son imperméable, la pluie tombait finement.

Ce crachin poisseux obstruait la visibilité de cette fin de journée et obligeait les passants à marcher la tête basse, le dos courbé.

Que faisait Léa à cette heure ? Léa avec son sourire, Léa avec sa mèche rebelle, Léa qui… Léa ! Mais bien sûr ! Comment n'y avait-il pas pensé !

Il croisa la vieille Soizic. Toujours perdue dans ses

pensées, insensible à l'humidité… Son cabas à la main. Sans fleurs. Elle devait revenir du cimetière.

— Salut Thomas ! Putain de temps !

— Salut Jos !

— Tu viens boire un coup ?

— Pas le temps, Jos ! Une autre fois.

*

* *

— Tu seras mieux logé, dit Pierre Picard à Paul Grimaud. C'est peut-être plus éloigné de ta boutique, mais tu y gagneras en confort. Je suis content pour toi.

— Tu déménages quand ? demanda Anne Lestel, un gobelet de café à la main.

— Le plus rapidement possible, répondit Paul Grimaud, le sourire aux lèvres. Il était temps que…

On frappa à la porte du bureau du maire.

— Thomas ! s'exclama Pierre Picard, ravi de le voir.

Thomas entra dans la pièce. Ses vêtements étaient trempés. Il sortit un mouchoir de sa poche pour s'essuyer les cheveux.

— Temps de chien, marmonna-t-il.

— Question d'habitude… Il faut s'y faire, Monsieur de Rosmadec, ajouta Paul Grimaud.

— Je m'en passerai bien. Thomas se délesta de son vêtement. Alors quoi de nouveau ?

— Je suis passé à la gendarmerie de Crozon… Conclusion de l'adjudant : Omnès a été victime d'un accident. Je suis de plus en plus inquiet. Nous avons aussi reçu une nouvelle lettre.

— Je sais, ce matin j'ai eu Anne au téléphone.

Pierre Picard tendit la lettre à Thomas.

— D'autres décès ont-ils été signalés au cours de la journée ?

— Non.

— Je crois qu'il n'y a plus de doute. Omnès, ce n'est pas un accident. Pourquoi a-t-il refusé l'emploi d'homme d'entretien du terrain de golf ?

— Ah ! Tu es bien informé. C'est une histoire qui date. Henri Omnès était pompier volontaire. Il assurait la permanence de nuit quand un incendie s'est déclaré dans une maison.

— Il y a environ sept ans, intervint Anne Lestel.

— Quel rapport avec le refus d'Henri Omnès ? questionna Thomas.

— J'y viens. Ce soir-là, des personnes ont vu des flammes et ont prévenu les pompiers. Henri Omnès était de garde, il n'aurait pas entendu la sonnerie du téléphone ou, du moins il aurait tardé à répondre. S'était-il assoupi ou avait-il bu plus que de raison ? Sa part de responsabilité n'a jamais été clairement établie. Ce qui est certain, c'est qu'il a effectué une veille de trop. Depuis, il a été viré. Enfin, j'y arrive… Les ruines de la maison sont enfouies sous le terrain de golf. C'était un pennti. Le propriétaire en a profité pour tout vendre lors du projet de complexe. La locataire a péri dans l'incendie. On suppose qu'elle a été asphyxiée par les émanations de fumée. Son corps a été retrouvé carbonisé. Cette femme vivait seule, son compagnon était en voyage au moment du drame. On n'a jamais su ce qu'il est devenu. Depuis, Henri Omnès rongé par le remords s'est mis à boire de plus belle et ceci explique la raison de son refus de travailler sur les lieux.

— Quel était le nom de cette femme ?

— Colette Derval, lâcha Anne Lestel.

— Qui était le propriétaire de la maison ?

— Traouen, ajouta Anne.

— Nous y voilà ! dit Thomas, en tapant du poing dans la paume de sa main.

— Non ! Tu crois sérieusement qu'il y a un rapport entre cet incendie et les meurtres ? s'étonna Pierre Picard.

— J'en suis de plus en plus persuadé !

— Mais qui ?

— Le compagnon ! Qui veux-tu d'autre ?

— Hum…

— Qui l'a connu ?

— Personne… Il voyageait beaucoup. Il serait venu à Camaret quelques jours, c'est ce que disait sa compagne. Une femme charmante. Sans être une marginale, elle vivait à l'écart de la vie de la cité. Je dirais plutôt solitaire… Une artiste… Elle faisait des sculptures. Apparemment, elle en vivait… Elle disait que son compagnon devait venir s'installer avec elle.

— Donc, d'après vos déductions, le compagnon est revenu et se venge ? intervint Paul Grimaud.

— Ça me semble de plus en plus évident. Vingt-huit jours entre chaque crime ! La symbolique est frappante. Vingt-huit jours ! répéta Thomas.

Silence.

— Nous ne sommes pas en présence d'un psychopathe. Il ne passe pas à l'acte sous le coup d'une pulsion, reprit Thomas. Cet homme doit vivre dans un monde où les symboles déterminent et justifient ses comportements… Il s'est aliéné dans cet univers imaginaire qu'il sublime.

— Mais alors, quelle est la signification des lettres ? demanda Paul Grimaud.

— Je ne sais toujours pas, répondit-il simplement.

— Si j'avais su qu'en travaillant sur ce dossier de terrain de golf, on en serait arrivé là… dit Anne Lestel, dépitée.

Thomas demanda si les causes de l'incendie avaient été déterminées.

— Un court-circuit.

Anne précisa que le projet du terrain de golf était déjà lancé avant que le drame se produise et qu'il était question d'expropriation.

— Un incendie criminel qui aurait mal tourné ? dit Paul Grimaud. On n'exproprie pas non plus facilement. La procédure est longue.

— Je n'avancerai pas la possibilité d'un tel acte. La maison avait le charme des vieilles pierres, mais elle n'était plus aux normes. En reprenant mon cabinet d'assurances, j'ai retrouvé le dossier dans les archives. La compagnie a refusé d'indemniser le propriétaire. Hervé Traouen a fait un peu de résistance. Il voulait reconstruire le pennti, puis il a fini par céder. Le terrain sur lequel était construite la maison était enclavé entre des parcelles inconstructibles. Un bull a eu raison de tout ça et la maison, après avoir été démolie, a été recouverte par des tonnes de remblai. Il est bien trop tard pour remettre en question les causes de l'incendie, ajouta Pierre.

— Ici, le sens de la propriété est très fort, dit Paul Grimaud.

— Pas au point d'y voir une malveillance humaine. N'exagérons pas ! lui répondit Pierre Picard. J'étais à mille lieues de faire un rapprochement entre cette histoire et les lettres anonymes.

Tandis que Paul Grimaud et Pierre Picard parlaient, Anne Lestel rejoignit Thomas. Il se tenait un peu à l'écart, adossé contre un mur. Il réfléchissait. Elle proposa à mi-voix :

— Vous dînez avec nous ce soir ? Je vous attends avec Alain. J'adore cet enfant, il est très attachant.

— Là est le problème ! soupira Thomas.

— Qu'allez vous faire à votre retour à Paris ? Et surtout quel est votre souhait ?

— Je n'en sais rien pour l'instant. Vous rendez-vous compte ? Ça va faire plus d'un mois et personne ne s'en inquiète. Léa s'informe régulièrement auprès des organismes, elle ne sait pas que l'enfant est avec moi.

— Vous devriez le lui dire, conseilla Anne.

— Bien sûr. Léa est une femme très discrète, elle ne me pose pas de questions.

— Alain s'est attaché à vous. C'est indéniable.

— Pourquoi moi ?

— Ne vous demandez pas pourquoi. Lui-même est incapable de le dire. C'est un choix spontané de sa part. Dans sa désespérance, il a tout misé sur vous, ça se voit à la confiance qu'il vous témoigne. Vous pouvez le ramener chez cette femme… Comment s'appelle-t-elle ? Je ne m'en souviens plus.

— Lucie.

— C'est ça, Lucie. Vous pourrez par la suite faire une sorte de parrainage.

— D'accord, mais il ne veut plus entendre parler d'elle. Il fuguera à nouveau.

— Anne ! On ferme la mairie, tu as vu l'heure qu'il est ?

Pierre Picard frappa dans ses mains pour faire accélérer le mouvement.

XXI

— Léa, peux-tu consulter des ouvrages consacrés à l'alchimie ? Tu recherches une maxime comprenant les mots, voyage ou visite, ensuite terre et enfin, pierre. Ah oui ! J'allais oublier et cela est important, la pierre est dans la terre. En latin ça donne *interiora terrae lapidem*. Quoi ? Si je n'ai pas un caillou à la place du cerveau et si je pense encore à toi ? Tous les jours, mon amour ! la rassura Thomas, au téléphone… Quand je reviens ? Bientôt ! Je te le promets… Mais non, je n'ai pas été séduit par la coiffe d'une Bretonne. Tu me rappelles dès que possible… Promis…

Thomas raccrocha. La soirée passée chez Anne avait été inévitablement consacrée en majeure partie à l'affaire. Thomas avait détaillé l'évolution de son enquête, sans oublier la croustillante anecdote des mœurs légères de l'hôtelière ni celle de la participation acharnée du curé. Celui-ci voulait à tout prix résoudre l'énigme des lettres anonymes. Cela les fit rire. Ils reconnurent que l'ecclésiastique était un homme plus efficace dans l'action que dans les bondieuseries. Les années de prison, ça marque ! Sur ce passé d'aumônier, il restait muet comme une carpe. Il évitait toute discussion sur le sujet. Thomas fit part de ses interrogations sur Roland Quéméneur. Pierre et Anne le connaissaient à travers sa participation à la vie collective depuis son arrivée à Camaret. Quant à son passé ? Pas grand-chose. Il restait discret sur l'exercice de son professorat à l'étranger. C'était un homme de contact agréable, pas fier pour deux sous. Le soir, il se mêlait volontiers aux marins pêcheurs pour boire l'apéro. Sans oublier ses inénarrables conflits avec le curé. Toujours sur le ton badin.

— Suspect ? s'enquit Pierre, avec un fond d'inquiétude.

— Oui et non, répondit Thomas.

— Sois plus précis qu'un Normand…

— Nous recherchons un homme qui a fait, semble-t-il, une brève apparition à Camaret, il y a quelques années, sans avoir laissé un souvenir impérissable. Il est revenu. Personne ne l'a identifié comme étant le compagnon de la femme décédée dans l'incendie. Il s'est parfaitement intégré. Il connaît la ville, le port, les environs, les habitants. Il a mûri sa vengeance en prenant soin d'étudier la vie de ses victimes ! Ça demande du temps ! Il ne tue pas pour assouvir une pulsion meurtrière. Non, il exécute sans état d'âme, périodiquement, avec une symbolique se rapportant à l'alchimie.

— L'alchimie ? interrogea Pierre qui comprenait de moins en moins.

— Un rapport avec les fameuses lettres en latin ? demanda Anne.

— Oui. Je n'arrive pas à établir le profil psychologique de cet homme. Par contre, tout converge vers ce fameux terrain de golf. Alors, je cherche le détail… Celui qui me mettra sur la voie… Je crois en tenir un.

— Lequel ? s'enquit Pierre. Tu… Tu soupçonnes Roland Quémeneur ?

— Trop tôt pour que ce soit une certitude. Disons suspect, c'est le mot qui convient.

— Ce n'est pas possible ! Pas lui ! Je n'y crois pas… dit Anne. Elle n'en revenait pas.

— L'affectif, Anne… L'affectif… Ne jamais en tenir compte. Dans une enquête, les sentiments n'ont pas leur place.

— Les personnes qui se sont installées à Camaret ces dernières années ne sont pas légion. Je peux les recenser facilement. Tiens ! Paul Grimaud par exemple. Des artistes-peintres ou encore quelques militaires comme Jean-Marie Le Doaré, pour ne citer que lui, énuméra Pierre.

— Je n'en doute pas. Mais les personnes qui s'intéressent à l'alchimie ne sont tout de même pas non plus légion.

XXII

Thomas mit de l'ordre dans la chambre et houspilla Alain.

— Je t'ai déjà demandé de mettre tes vêtements sales de côté. Comment veux-tu qu'on y arrive si tu ne fais pas un minimum d'efforts ! Regarde ! C'est pas compliqué. Ceux qui ont servi dans le sac plastique pour le lavage et les autres sur les cintres.

Alain pinça ses lèvres et s'exécuta, le regard sombre.

— Non mais, regarde comment tu plies tes vêtements ! On dirait un tas de chiffons !

En signe de désespoir, Thomas se prit la tête entre les mains puis il regarda Alain faire et se mit à rire.

L'enfant le prit mal. Il jeta ses affaires à ses pieds et s'accroupit dans un angle de la chambre pour bouder.

— Bon, bon ! Ne te fâche pas, mais reconnais que tu n'y mets pas beaucoup de bonne volonté !

— On m'a jamais appris, dit Alain, et toi tu te fiches de moi. C'est pas bien, voilà ! Il mit sa tête sur ses bras croisés et regarda Thomas sous cape, l'air furibond.

— Excuse-moi, mais je n'ai pas pu me retenir. Je n'ai pas voulu me moquer de toi… C'est plutôt la situation… Comment te le dire…

— Si, tu te fiches de moi, je le vois bien ! Alain se mit à pleurer.

Thomas était embarrassé. Il n'aurait pas dû rire. Il avait été maladroit. Il devait apprendre à anticiper les réactions de l'enfant qui cachait une grande sensibilité sous la carapace qu'il s'était forgé face aux vicissitudes de la vie. Jusqu'à présent, il n'avait pas mesuré le désarroi dans lequel devait vivre Alain, sans jamais se plaindre. Plus de mère, plus de père. Il était la seule personne à qui il s'accrochait désespérément. Anne avait raison. Thomas ramassa les vêtements.

— Viens, ne pleure plus… Il y a des choses plus importantes dans la vie que de savoir plier ses habits.

Alain ne bougea pas. Il continua à pleurer.

Thomas, sans dire un mot, laissa l'enfant extérioriser sa souffrance puis le consola.

— Je t'apprendrai comment faire, d'accord ?

Alain acquiesça de la tête en essuyant ses dernières larmes avec les paumes de ses mains et renifla. Dans la minute suivante, tout était oublié.

— Thomas !

— Oui ?

— On retourne quand à Paris ?

— Bientôt… Tu as hâte de rentrer ? Tu t'ennuies ?

— Non, mais je voudrais aller à l'école, comme les autres.

— Tu faisais comment, avant ?

— C'est un Africain. Il nous apprenait à compter... à lire, à écrire.

— Vous étiez plusieurs enfants ?

— Hum... Huit. C'était pour nous intégrer qu'il disait. L'école, c'est pas pour nous parce qu'on n'a pas de papiers.

— Je n'en suis pas certain.

— Si, parce que les parents seraient embêtés par la police.

— Nous réglerons le problème le moment venu, dès que nous rentrerons.

— Tu promets ?

— Oui, promis.

— Thomas !

— Oui.

— Est-ce que je peux aller jouer sur les bateaux ?

— Bien sûr, pourquoi cette question ? D'habitude tu y vas sans me demander la permission... Attends, je viens avec toi.

*

Le tracé des gendarmes avait été effacé par la pluie. Thomas monta sur le pont du bateau avec Alain.

A l'arrière, une large brèche s'ouvrait sur la cale, elle-même éventrée. La tête d'Henri Omnès avait pu heurter n'importe lequel de ces bouts de bois vermoulus.

— Alain !

Thomas et Alain se retournèrent en direction de l'appel. C'était Amélie.

— Tu viens avec moi ? Je vais à Quimper !

— Ouais ! *Yesss* ! Je peux, Thomas ?

— Bien sûr.

Thomas et Alain descendirent du bateau et rejoignirent Amélie à l'entrée de la jetée.

— Nous ne rentrerons pas ce midi, dit-elle. Nous déjeunerons dans une cafétéria.

— Je vous donne de quoi payer son repas.

— C'est moi qui l'invite. A ce soir !

Thomas se retrouva seul. Il partit vers le quai Toudouze pour boire un café. Le vent se levait et faisait des risées sur les flaques d'eau de la chaussée. Devant lui, il reconnut la silhouette de la vieille Soizic. Un bouquet de fleurs dépassait de son cabas. Qu'est-ce qui peut inciter cette femme à se rendre au cimetière par ce fichu temps ? se dit-il. D'autant qu'il l'avait aperçue hier. La seule explication était ses pertes de mémoire. Sa curiosité et surtout le sentiment de ne rien négliger prirent le dessus. Il la suivit.

Durant le trajet, elle s'arrêta plusieurs fois. Elle semblait perdue, ne sachant quelle direction prendre. Enfin, elle arriva au cimetière. Désorientée, elle erra entre les tombes. Par moments, elle s'arrêtait, prostrée. Elle ne devait plus savoir ce qu'elle faisait là, incapable de reconnaître la sépulture qu'elle était venue fleurir.

Thomas crut un instant qu'elle allait repartir.

Elle se pencha au-dessus d'une pierre tombale. Elle retira des fleurs encore fraîches d'un vase. Elle les jeta par terre. Puis elle reprit son errance, jusqu'à lasser Thomas. Il se demandait ce qui lui avait pris de suivre cette femme, quand, cette fois, semblant revenir à la réalité, elle se dirigea sans l'ombre d'une hésitation vers une sépulture et déposa son cabas. Elle prit le vase et se rendit à une fontaine, située non loin de la tombe, pour le nettoyer et le remplir d'eau. Nouvelle hésitation. Allait-elle replonger dans l'amnésie ? Non, elle regarda autour d'elle d'un air plus présent et revint déposer le vase sur la tombe. Elle y mit les fleurs, recula d'un petit pas, se signa d'une façon désordonnée et repartit.

Thomas se tenait à distance. Il faisait semblant de chercher lui-même une sépulture… Il attendit qu'elle eût quitté le cimetière avant de se rendre sur la tombe nouvellement fleurie. Si elle était régulièrement visitée, l'entretien laissait à désirer. Simple plaque de marbre dépoli, posée sur un cadre de ciment et rehaussée d'une croix en fer forgé rouillé.

Thomas remarqua une inscription gravée et rendue illisible par l'incrustation de mousse. Il frotta avec sa main la surface rugueuse. C'était insuffisant. Il chercha alentour un bout de bois pour curer les évidements des lettres. Il mit la main sur un morceau de verre provenant d'un vase cassé, ce n'était pas ce qu'il y avait de plus pratique mais, à défaut, il s'en servit et commença à gratter. Petit à petit, il mit à jour les caractères. Il chassait du plat de la main les salissures puis soufflait pour faire partir les dernières impuretés. Il fronça les sourcils en découvrant le premier mot.

Il précipita ses gestes quand il entendit, derrière lui, des pas sur le gravier.

— Vous êtes de la famille ? tonna une voix autoritaire.

Il se retourna.

Un gros homme le fixait, tenant à la main un sac plastique à la marque d'une chaîne commerciale duquel dépassait un manche de bois.

— Non, répondit-il.

Thomas se rendit compte de l'incongruité de sa réponse. Pourquoi alors se décarcassait-il à nettoyer cette pierre tombale ? Il se redressa et rattrapa sa bévue. Je cherche une tombe. J'ai entrepris d'établir l'arbre généalogique de ma famille.

— Ah ! Hé bien, vous n'avez pas fini avec toutes celles qui sont en mauvais état ! Sans parler de celles qui sont carrément abandonnées. Une honte ! C'est quoi, votre nom de famille ?

— Rosmadec, de Rosmadec.

— Ça m'étonne que celle-ci puisse vous intéresser, dit-il, en désignant la tombe avec son sac plastique. Rosmadec, c'est plutôt à Telgruc que vous devriez chercher. Tenez ! Ça ira plus vite avec ça. Il prit le manchon du sac et tendit à Thomas un racloir.

Cet homme était la providence, pensa Thomas. En effet, avec cet outil, il irait plus vite.

— Je suis sur la tombe, là, deux rangs derrière, dit l'homme en se dirigeant vers l'endroit désigné.

— Merci !

— Il n'y a pas de quoi !

Thomas repris son curetage. La pointe de métal de l'outil crissait de façon désagréable sur le marbre grisâtre.

Quand il jugea qu'il avait fini, la plaque était recouverte de salissures. Il alla chercher un broc près de la fontaine et le remplit, puis déversa le contenu sur la tombe en s'aspergeant maladroitement les chaussures…

Non, il ne rêvait pas ! Là, sous ses yeux, apparut nettement l'épitaphe. Il lut :

« *…INTERIORA TERRAE…*
LAPISSMARAGDINA
A Colette Derval »

*
* *

— Comment avez-vous retrouvé la tombe de Colette Derval ? demanda Anne Lestel à Thomas.

— Grâce à la vieille Soizic.

— Personne ne s'en est soucié. On pensait qu'elle se rendait au cimetière pour se recueillir sur la tombe de sa famille. Il faut dire que le dialogue n'est pas facile avec elle. Ses voisins s'occupent d'elle. Parfois, on la retrouve errant sur une route et on doit la prendre en charge.

— Qui a fait inscrire ces mots sur la tombe, sinon le compagnon de Colette Derval ? Non… Je ne crois pas que Soizic se rende au cimetière de sa propre initiative. Ce n'est pas une lubie. Elle a peut-être l'obsession de fleurir cette tombe bien ancrée dans la tête, mais cette idée fixe lui a été insufflée par quelqu'un. Une personne proche d'elle. L'assassin, Anne, l'assassin, insista Thomas en tapotant de l'index le bureau de la secrétaire.

— Mais comment le compagnon aurait-il ordonné cette épitaphe, puisqu'on ne l'a jamais vu ?

— Mystère. L'inscription est très ancienne. A mon avis, par l'intermédiaire de Soizic, à l'époque où elle n'était pas encore malade…

— Maintenant que vous le dites, ça me revient. Soizic était curieuse de tout, elle rendait visite à Colette Derval pour voir ses sculptures.

Avait-elle rencontré l'homme, lors de ses rares passages et avait-elle lié connaissance avec lui ?

— Peu importe ! Nous ne saurons pas la vérité auprès de la vieille Soizic. Elle semble murée dans le silence. Mais il n'y a plus de doute. L'auteur des lettres est le commanditaire de l'épitaphe. Il venge Colette Derval en assassinant des personnes qui ont été mêlées de près ou de loin à l'histoire du terrain de golf.

— C'est horrible ! Vous rendez-vous compte, le collectif des propriétaires des parcelles rachetées est important. Ils sont une douzaine. Sans oublier ceux qui ont pris le dossier en charge.

— Oui, on peut s'attendre à une hécatombe… J'ai un doute cependant… Il y a quelque chose qui ne colle pas.

— … ?

— Henri Omnès, pourquoi vient-il seulement d'être assassiné alors qu'il aurait dû être le premier de la liste. C'est quand même lui le principal fautif du décès de Colette Derval !

— Quand je pense aux ennuis financiers, juridiques et maintenant aux drames humains que nous créé ce complexe, je me dis que…

— Que quoi ?

— Ben… J'y croyais, moi aussi. J'en ai passé des heures sur les dossiers ou en réunion… Tout cela pour aboutir à ces horreurs !

XXIII

Alain courait en tenant le sac. Personne ne l'avait vu. Il s'arrêta et se mit à l'abri des regards pour souffler un peu.

En passant par les quais, il risquait de se faire repérer. Il devait emprunter une ruelle sur la gauche. Mais après, les choses pouvaient se corser. Il devait revenir sur le quai du Styvel. Là, il devait faire attention. Il risquait de rencontrer du monde. Après tout, il pourrait dire qu'il avait trouvé le sac par terre. Tout simplement. Ça existe des gens qui oublient leurs affaires. Parfaitement.

« Tiens ! Et si je regardais ce qu'il y a dedans ? » Il fit glisser la fermeture éclair. « Ouais ! Il contient plein de choses. »

Il le referma aussitôt. Il ne devait pas s'attarder. C'était bien beau, tout ça ! Mais comment allait-il faire à l'hôtel ? Oh, là, là ! Il n'avait pas pensé à ça. Thomas n'était pas encore rentré… Restait Amélie ou sa patronne… Elles risquaient de le voir rentrer avec ce gros sac. Non, il n'avait pas la trouille. Il devait faire gaffe. C'est tout, se rassura-t-il. En tous cas, il n'avait pas perdu la main ! C'était surtout

Thomas… Il devait se méfier. Lui, on ne le roulait pas facilement. S'il apprenait, sûr qu'il ne serait pas content. Mais alors pas du tout ! Même peut-être que ça barderait. Il lui avait pourtant promis de ne plus faire de bêtises. Mais l'occasion était trop belle !

« Voilà, j'arrive au quai Styvel. C'est maintenant que ça craint », pensa-t-il. « Il faut que j'aie l'air de me promener. Zut… Une voiture ! Je ne dois pas me retourner, j'espère que ce n'est pas Thomas… Ça y est, elle est passée… Ouf ! J'ai eu chaud. Voilà l'hôtel… On dirait qu'il n'y a personne… Je vais longer la baie vitrée en tenant le sac à la main… Comme ça, ils ne le verront pas… Ah ! Pas de bol ! La patronne parle avec des clients… Ils sont dans le hall… »

Alain se posta près de la porte d'entrée et posa le sac à terre. Il attendit le moment opportun en guettant par la porte vitrée. Enfin l'hôtelière disparut en direction des cuisines…

« C'est le moment ! Go ! »

Il prit un air dégagé et entra dans l'hôtel. Il poussa la porte battante séparant le hall de l'escalier menant aux chambres. Il mit le sac derrière l'un des vantaux, puis revint se poster devant le comptoir.

Clac… Clac… Clac…

— Oui, nous pouvons vous servir le repas un peu plus tard ! confirma l'hôtelière aux clients. Prenez votre temps. Ah ! Alain, mon petit chéri, dit-elle en l'apercevant, Thomas n'est pas encore rentré ? Tu veux la clé de la chambre ?

— Hum… acquiesça Alain.

Il prit la clé et disparut derrière la porte battante.

Dans la chambre, il glissa rapidement le sac sous son lit. Il verrait plus tard ce qu'il contenait exactement.

Il prit un peu de recul et regarda si sa cachette était bonne. Oui. Avec le dessus de lit qui retombait, on ne pouvait pas voir le sac. De toute façon Thomas n'allait jamais de l'autre coté du lit.

Il quitta la chambre, remit la clé à l'accueil puis repartit vers les quais en courant.

Il croisa un fourgon blanc de marque Renault. Peut-être était-ce celui dans lequel il avait volé le sac. Des véhicules semblables, il y en avait quelques-uns à Camaret.

Quelle aubaine ce sac posé à l'arrière sur le plancher ! Les portières étaient ouvertes. Alain avait épié, il avait eu largement le temps. *No problem* ! Comme disaient les grands qui procédaient de cette façon à Paris. Ah ! S'ils étaient là, ils seraient fiers de lui !

— Hé mousse, où tu vas ? cria Gustave.

Alain s'arrêta net.

— Nulle part !

— Nulle part ? Alors, c'est pas la peine de courir ! En faisant du surplace, t'iras au même endroit.

Alain rejoignit Gustave.

— Ça va, Gustave ?

— Non.

— Qu'est-ce que t'as ?

— Bah ! Les rhumatismes me font souffrir. On annonce encore du mauvais temps. Il va y avoir une tempête. C'est pour ça que j'ai mal partout.

— Beaucoup ?

— Assez pour une anesthésie. Un coup ou deux et ça ira mieux. Tu viens avec moi ? Tu prendras un "chouèpe".

— Schweppes, Gustave ! Alain éclata de rire.

Alain s'installa à une table avec le pêcheur. Ils furent rejoints par d'autres vieux marins. Les habituels copains de tablée de Gustave. Alain les connaissait. Le bistrotier mit d'emblée la bouteille de rouge et quelques verres sur la table… Plus un "chouèpe". Les blagues à tabac et les étuis de papier à rouler étaient de sortie, le parler breton de rigueur. Alain ne comprenait rien, ce n'était pas un problème. Il était bien avec eux. Il aspirait tranquillement sa boisson à l'aide d'une paille.

Le mareyeur, déjà bien éméché, fit une apparition tonitruante en compagnie de deux acolytes. Leurs trognes témoignaient d'une idolâtrie sans retenue pour Bacchus. Au passage, il s'arrêta et dévisagea Alain sans dire un mot, puis s'installa au comptoir. Il passa sa commande en levant la voix :

— Trois jaunes !

Le cafetier tira trois pastis du doseur de la bouteille et plaça la carafe d'eau près des verres.

— Alors Gustave, t'as pêché un lieu noir ? décrocha l'imbibé.

Rires imbéciles du trio.

— Pourquoi tu dis ça ? demanda Gustave en le regardant d'un œil mauvais.

— Devine !

Gustave s'adressa à Alain.

— Fais pas attention, il est plus bête que méchant.

— Qu'est-ce que tu dis ? insista le mareyeur.

— Je parle au gosse, répondit Gustave.

— Tu parles l'africain maintenant ?

Nouveaux rires idiots.

— Ferme-la un peu ! s'énerva Gustave.

— Ah ! Moi, on me parle pas comme ça. Fais attention ! menaça le mareyeur en pointant son index vers Gustave.

— Tu vas laisser les vieux tranquilles à la fin ! recommanda le patron du café.

Outré, un marin se leva.

— Les vieux ?… C'est pas ce con qui va nous faire peur.

Il regarda le mareyeur et ajouta :

— Va cuver ailleurs et fiche-nous la paix !

— Du calme ! Du calme, les gars ! ordonna le patron.

— C'est vous les cons ! renchérit le mareyeur.

Comme mu par un ressort, un deuxième marin se leva d'un bond en faisant tomber sa chaise. Il porta sa main en forme de pavillon à son oreille et dit d'un air belliqueux :

— Répète un peu ! J'ai pas bien entendu.

— Hé ! Hé ! Ça suffit maintenant ! Calmez-vous ! intervint à nouveau le bistrotier. Puis il s'adressa au mareyeur : Arrête de chercher des noises à propos de ce gamin ! Il t'a rien fait !

Mais visiblement les marins ne voulaient pas s'en tenir là. Un troisième se leva pour rejoindre les deux autres, puis ce fut au tour de Gustave.

La tension monta d'un cran.

Alain se demanda ce qui allait se passer. Il se terra dans son coin.

— Répète ! insista le marin.

Il eut pour seule réponse des rires niais.

Était-ce pour se prouver qu'ils n'étaient pas encore des grabataires, voulaient-ils revivre l'époque de leur jeunesse ou simplement en découdre parce que leur honneur était atteint ?

La suite ne se fit pas attendre… Elle commença par une bousculade. Le premier coup de poing partit. L'empoignade générale suivit.

Le patron tenta désespérément de ramener l'ordre en s'interposant pour séparer les belligérants. Il ne fut pas en reste. Il reçut un uppercut magistral dont il ignora la provenance et s'écroula sur les tables, hors de la mêlée. Gustave, miraculeusement guéri de sa crise de rhumatismes, prêta main forte mais en se tenant à distance.

Les coups de gueule et les gnons pleuvaient. Un seul camp devait sortir vainqueur. Question de dignité.

*
* *

Thomas gara sa voiture devant l'hôtel. Amélie l'attendait devant l'entrée et lui fit signe de se presser.

— Vous avez eu un appel !

Il courut.

— De qui ? demanda-t-il, essoufflé.

— De Léa. J'ai vu que vous arriviez, mais je n'ai pas eu le temps de le lui dire, elle a raccroché.

Thomas prit la clé et monta dans la chambre. Il mit le téléphone sur la table et composa le numéro de Léa.

— C'est moi, Léa... Oui... Oui, je prends de quoi noter... Vas-y, je t'écoute... Qu'est-ce que tu me racontes ! Si je connais l'acide sulfurique ? Écoute, je ne vois pas le rapport avec ce que je t'ai demandé... Le vitriol ? Arrête de plaisanter, je t'assure que c'est sérieux ! Oui... Quoi ? C'est pas possible ?

Thomas écouta. Le combiné coincé entre sa joue et son épaule, il prit des notes. La conversation dura une bonne demi-heure. Léa épela les mots et Thomas les reprit pour exclure tout risque d'erreur.

— Tes sources sont incontestables ? s'assura Thomas... Tu me dis que les auteurs sont des érudits en la matière ! Soit... Tu es divine !... Quand je rentre pour te le dire en face ?... Dès que possible ! Je t'embrasse...

Léa s'impatientait. Ah ! Précieuse Léa !

*
* *

Pendant ce temps, au bar, on faisait le bilan de la baston. Ecchymoses en tous genres, bosses, vêtements déchirés, plus une chaise qui n'avait pas résisté. Des broutilles, quoi !

L'honneur était sauf ! L'adage sonnait à merveille. Le mareyeur et ses amis avaient battu en retraite. Non mais ! Fallait pas les chatouiller, les vieux !

— Mets-nous une tournée, René ! On va fêter ça !

Le patron, encore sonné, tenait sa mâchoire endolorie et regardait le désastre, hébété. Son mobilier était sens dessus dessous.

— T'inquiète pas, René, on va remettre de l'ordre. Depuis le temps qu'il cherche la bagarre, il l'a trouvée ! dit un marin, ajoutant à l'intention d'Alain : Allez, mousse, donne-nous un coup de main !

— Au moins, cette fois, ce con aura appris qui fait la loi ! affirma Gustave.

— Nom de Dieu, sûr ! répondit un marin en redressant une table.

Le bar reprit une allure acceptable, la chaise bancale fut mise au rebut et remplacée. Les verres brisés, balayés. On put enfin savourer la victoire devant une autre bouteille… plus un chouèpe, en se remémorant les dates de quelques règlements de comptes, plus facilement retenues que celles des champs de batailles apprises à l'école… Marignan, Wagram ou Waterloo n'avaient jamais affecté le cours de leur vie.

*
*   *

Le curé mit sa bouche en cul de poule pour exprimer son étonnement. Il n'en revenait pas.

— On pouvait toujours chercher ! dit Thomas.

Le curé le regarda un instant, puis reporta ses yeux ronds sur la feuille.

Ce mot évoquait à la fois un acide dangereux et une allégorie condensant la pensée des alchimistes. V.I.T.R.I.O.L.

« *Visita Interiora Terrae Rectificando Inventies Occultum Lapidem.* »

« Explore l'intérieur de la terre ; en rectifiant, tu découvriras la pierre cachée. »

— Descends au plus profond de toi, en cherchant, tu trouveras la pierre de l'œuvre. On la doit au moine Basile Valentin. Alchimiste, père de l'acide sulfurique, de l'antimoine et de l'amélioration des procédés de distillation, précisa Thomas. Il existe une autre version toujours à partir du mot vitriol. A un mot près, la parabole est la même. Simple interprétation d'experts.

— Je suis sidéré… Dites donc, le frère nous avait mis sur la voie, mais la phrase était incomplète, je m'en doutais à cause de la déclinaison… En latin, c'est très important.

— Je n'ai pas fini, mon Père, à propos de lapis… J'ai suivi la vieille Soizic jusqu'au cimetière, elle se rend sur la tombe d'une certaine Colette Derval.

— Connais pas.

— Non. Pour cause, vous n'étiez pas encore à Camaret lorsqu'elle a péri dans un incendie.

Thomas détailla les circonstances.

— Figurez-vous que l'épitaphe gravée dans le marbre est la suivante : « ...*Interiora terrae... lapis smaragdina. A Colette Derval.* » Curieux, non ?

— On retrouve au moins trois mots identiques à ceux des mystérieuses lettres : *Interiora*, *terrae* et *lapis... Lapidem...* Oui, ça se tient comme raisonnement.

— Oui mais, que vient faire smaragdina là-dedans et que peut signifier encore ce mot ?

— Smaragdina ? L'émeraude. La pierre d'émeraude ! s'exclama le curé.

— Il nous rend fou ce type avec ses symboles !

— Une petite gnole ? proposa le curé.

— Ah, non ! Non, merci mon Père. La dernière fois, j'ai eu du mal à m'en remettre. Un vrai décapage de tuyauterie !

— Comme vous voulez ! C'est de la naturelle.

— Je n'en doute pas ! C'est bien beau de résoudre des énigmes, mais ça ne nous donne pas le nom de l'assassin.

— J'allais vous le dire !

— Et surtout, quand va-t-il s'arrêter ?

— Combien de victimes, déjà ?

— Six, mon Père. Ça correspond au nombre de lettres expédiées à la mairie. La dernière victime en date est Henri Omnès, il y a eu Jean Raguennès puis Hervé…

— J'y pense vitriol… vitriol, ne serait-ce pas l'anagramme du nom du meurtrier ?

— Hum ! Thomas chercha… Trovili… Troivil… Non, je ne le sens pas, ça ne rime à rien.

— Je vous invite à dîner ? Jeanne m'a préparé un excellent bœuf aux carottes, proposa le curé.

— Désolé, mon Père. Je dois rejoindre Alain. Il m'attend à l'hôtel.

— Quelle importance ! Allez le chercher. Au contraire, ça me fera plaisir. Ça m'évitera d'en manger à tous les repas… Pff… Elle en fait toujours de trop ; par contre il est… Vous m'en direz des nouvelles !

Le curé joignit ses deux mains, comme pour prier.

Bien que la température du presbytère fût bien fraîche, Thomas n'eut pas le cœur de briser un tel enthousiasme.

*
* *

A l'hôtel, on informa Thomas. Alain avait été aperçu pour la dernière fois aux environs des dix-sept heures.

Thomas partit à sa recherche en voiture. Direction le centre ville. Il faisait nuit. Tous les commerces étaient fermés.

Tout en sachant que l'enfant était en sécurité dans la ville et qu'il était suffisamment débrouillard, Thomas commençait à être inquiet. Pour demander des renseignements, il entra dans le dernier café encore ouvert sur le port.

« Hardi les gars, vire au guindeau
Good bye farewell, Good bye farewell.
Hardi les gars, adieu Bordeaux
Hourra ! Ho Mexico ! Ho ! Ho ! Ho !
Et au Cap Horn, il ne fera pas chaud
Haul away Hé ! Ou la tchalez !
A faire la pêche au cachalot
Hale, matelot ! Hé ! Ho ! Hisse ! Hé ! Ho ! »
Spectacle surréaliste !

Un groupe de vieux marins poussait en chœur la chanson en compagnie d'Alain. Le patron aussi… mais sur un autre air. Il tentait désespérément de se faire entendre. Sa mâchoire était bleue. Il avait du mal à articuler.

— Ah, non de d'la ! Tu viens chercher le p'tit ? dit Gustave, l'œil malicieux. Bois un coup avec nous, sois pas fier !

— On nous attend. Une autre fois ! répondit Thomas en faisant signe à Alain de le rejoindre. Qu'est-ce que tu fais là ? Il me semble t'avoir dit de rentrer à une heure raisonnable ! Je m'inquiète, moi !

— Salut mousse ! cria Gustave.

— Salut Gustave !

Dans la voiture Thomas dit :

— Je ne sais pas ce qu'ils fêtent, mais ils ont l'air bien allumés !

— La bagarre. Ils ont gagné ! répondit Alain d'un air ravi et il expliqua :

— Ouais ! Tout à l'heure, chez eux, ils entendront une autre rengaine avec leurs femmes. Crois-moi, ils seront moins fiers…

XXIV

— Nous sommes déjà à la mi-avril, les premiers touristes ne vont pas tarder à arriver, annonça Pierre Picard à Anne. Nous devons commander des chaises supplémentaires pour la salle polyvalente. As-tu contacté les fournisseurs ?

— Oui. Le coût est moins élevé que prévu. Nous pouvons nous passer d'un appel d'offres. Nous sommes hors du cadre d'un marché public. Je vais demander une dernière fois à Paul de nous rendre service. Il retournera les chaises au club nautique.

— Anne.

— Oui ?

— Ce matin, j'ai eu un appel téléphonique de Thomas. Ce soir nous dînons avec lui au Neptune. Il y a du nouveau concernant l'affaire.

— Il ne s'impatiente pas d'être à Camaret ? Ça fait un moment maintenant.

— Je lui en ai parlé. Il dispose encore d'une semaine. Après… Sans lui, je ne sais pas ce que nous allons faire.

— Une semaine, c'est court ! Il est curieux ton ami, je ne l'imaginais pas comme ça.

— Explique-toi.

— J'ai… comment dire ? Une drôle d'impression. Il est présent et, en même temps il semble… ailleurs. Détaché de tout. Rien n'a de prise sur lui ou alors il n'exprime pas ses sentiments. Pourtant, je suis sûre que c'est un homme profondément humain. La preuve, cet enfant… Il n'y a pas beaucoup d'hommes qui en auraient fait autant.

— Ça, c'est lui ! Il est le contraire de ce qu'il laisse paraître…

— Il peut parler de tout, s'intéresse aux autres, mais dès que l'on aborde des questions trop intimes, il élude.

— C'est vrai. C'est aussi vrai qu'il n'aime pas les gens qui s'épanchent…

— Je vais préparer la prochaine réunion du conseil pour l'aménagement des chemins côtiers. C'est l'instit' qui va être satisfait, depuis le temps qu'il le souhaite, poursuivit Anne.

— Ça promet ! dit Pierre Picard.

*

*   *

Thomas replia le journal et but sa tasse de café. Il regarda par la vitrine du bistrot. Le quai balayé par le vent était désert. La pluie tombait dru. Une voiture passa en soulevant des gerbes d'eau. Dans une semaine, il serait de retour dans le tourbillon parisien avec le sentiment d'avoir laissé derrière lui quelque chose d'inachevé.

Il connaissait le mobile des crimes, mais pas l'assassin. Il n'aimait pas ça, mais que pouvait-il faire de plus ?

V.I.T.R.I.O.L. Invraisemblable !

Tiens ! Il aperçut Paul Grimaud par la vitre. Il se dirigeait vers le café, marchant en luttant contre le vent pour ne pas être déséquilibré.

Il entra et ne remarqua pas Thomas. Il se secoua pour chasser les gouttes qui perlaient de son ciré, puis le retira et lança :

— Sale temps !

« Réflexion sans conteste mais dénuée d'intérêt », pensa Thomas.

— Oui, répondit laconiquement le patron.

Paul Grimaud accrocha son vêtement sur le porte-manteau en commandant un café.

Il se retourna et vit le seul client du bar.

— Ah ! On prend ses habitudes ?

« Question idiote », pensa Thomas. Il détestait justement ce genre de banalités. Mêmes cafés, mêmes gueules, mêmes radotages affligeants. L'ennui.

— Je peux vous tenir compagnie ?

Thomas acquiesça d'un signe de la tête.

— Vous avez l'air soucieux.

— On le serait à moins.

— Qu'est ce qui vous turlupine ? s'enquit Paul Grimaud en s'installant à la table.

— Ce qui me préoccupe ? De savoir qu'il y a un malade, un fou qui a soif de vengeance et qui tue, répondit Thomas, sur le ton de la retenue pour ne pas être entendu du barman et en tapotant son index sur la table.

Paul Grimaud réceptionna son café.

— Vous en prenez un autre ?

Thomas refusa.

— Je vous ai déjà parlé du jeu de cartes, vous vous souvenez ? Nous étions ici dans ce même café.

— Oui, je m'en souviens.

— Eh bien, monsieur Grimaud… Je connais toutes les cartes, mais je ne sais pas qui les détient… C'est à peu près ça.

— Ah, bon ?

— Oui. Cet homme venge une femme… Une certaine Colette Derval décédée dans des conditions un peu obscures, je le reconnais. L'assassin s'appuie sur le mot V.I.T.R.I.O.L.

— Comment le savez-vous ? Question incongrue, je suppose. C'est votre métier. Mais que vient faire le mot vitriol dans cette histoire ?

— C'est une symbolique qu'il applique. Trop long à vous expliquer, dit Thomas, avec un geste d'agacement de la main.

Il ne voulait pas entrer dans les détails.

— Vous comprenez… En fait, c'est lui qui jubile, il nous nargue, il me nargue. Pas pour longtemps… Je ne sais pas comment, mais j'y arriverai, ajouta-t-il.

*
* *

Y arriver comment ?

Merde ! Merde ! Merde ! Ah, ça fait du bien de le dire ! La pluie lui cinglait le visage. Il souffla pour chasser les gouttes qui ruisselaient de son nez. Son pantalon trempé collait à ses jambes.

Une voiture passa sans se soucier de ce pauvre piéton et l'aspergea copieusement.

Ça dépassait les bornes ! Thomas se retourna et brandit son poing à l'adresse du conducteur indélicat et cria :

— Espèce de salaud !

Ça aussi, ça fait du bien !

Dans le hall de l'hôtel, Alain le regarda, ahuri.

— T'as vu ? T'es tout mouillé !

— Ouais ! J'ai plus que les burnes de sèches.

Alain éclata de rire, en mettant sa main devant la bouche et en montrant Thomas du doigt.

— Vas-y, fiche-toi de moi, par-dessus le marché.

— Oh ! Mon pauvre Monsieur de Rosmadec ! dit l'hôtelière, en arrivant avec un air catastrophé. Vous n'êtes pas raisonnable de vous promener ainsi sous la pluie ! Alain ! Je t'en prie, il n'y a pas de quoi rire !

Alain s'écroula dans un fauteuil pour rire de plus belle, en se tapant sur les cuisses. Thomas avança vers la porte battante menant aux chambres, comme un scaphandrier empêtré dans sa tenue, l'humeur maussade. Il constata qu'il n'y avait rien de plus désagréable que de monter des escaliers avec un pantalon trempé.

Clac… Clac… Clac… L'hôtelière courait derrière lui.

— Monsieur de Rosmadec !

— Oui ?

— Je suis désolée, nous n'avons pas encore fait les lits. L'employée était en retard ce matin.

— Pas grave ! Je n'ai pas l'intention de me coucher !

Les matelas étaient à nu. Thomas se déshabilla et prit une douche chaude.

Une serviette nouée autour de la taille, il s'assit sur le bord du lit et regarda ses vêtements sur les cintres pour faire le choix d'une nouvelle tenue.

Avant tout, un slip et des chaussettes. Il se releva et se pencha pour les prendre dans son sac.

Il eut un mouvement de surprise de la tête en apercevant, sous le lit d'Alain, un sac qu'il ne connaissait pas.

Il s'habilla rapidement et s'intéressa à sa découverte. Il était évident que ce n'était pas le sac qu'il avait acheté à Alain. D'ailleurs, le sien était là, dans un coin de la chambre.

Intrigué, il fit glisser la fermeture éclair.

Il découvrit une boîte en carton avec un élastique autour. Dessous, il y avait quelques revues. Où avait-il pris ce sac ?

Il retira la boîte, ôta l'élastique et ouvrit le couvercle.

— Qu'est… ce… que… c'est… que ça ? murmura-t-il.

Il fit l'inventaire.

Une paire de ciseaux, des gants en latex, un stick de colle et des coupures de lettres !

Il feuilleta les revues. Des pages avaient été arrachées, d'autres avaient été amputées de leurs titres. Il n'en revenait pas. Comment le gamin était-il en possession de ce… ? Bon sang ! Tout simplement le matériel qui avait servi à faire les lettres anonymes… Ça ne faisait aucun doute !

Il composa aussitôt le numéro du standard de l'hôtel et demanda à Amélie de prévenir immédiatement Alain. Il l'attendait dans la chambre.

— Ça y est, tu es sec ? dit Alain, en entrant dans la chambre… J'ai pas voulu me moquer de toi. C'est quand tu as dit que tu n'avais plus que les burnes de sèches… Ça m'a fait rire.

— Je ne t'ai pas dit de monter pour ça. C'est quoi ce sac ?

— Pff… fit Alain, en faisant vibrer ses lèvres. Il prit un air détaché. Je… Je l'ai trouvé !

— Trouvé où ?

— Euh… Au port.

— A quel endroit au port ? Sois précis.

— Ben… Alain haussa les épaules. Ch'ais pas moi, dit-il, l'air embarrassé.

— Tu trouves un sac au port et tu ne sais pas où ? A qui veux-tu faire croire une chose pareille ? Écoute-moi bien. C'est très important pour moi de le savoir. Si tu l'as volé, je ne te gronderai pas. Tu me dis la vérité, c'est tout.

Voler était peut-être le mot qu'il ne fallait pas dire. Alain avait promis à Thomas de ne plus le faire. Il avait eu le temps de préparer sa réponse.

Alain resta sur ses positions pour ne pas le décevoir.

— Il était sur le quai, près de la petite grue, dit Alain, en triturant ses ongles. Faut me croire.

— Devant le bateau ? Enfin, entre la grue et le bateau ?

— Oui.

— Personne ne t'a vu le prendre ?

— Ben non, eh ! répondit Alain, en sous-entendant qu'il n'était pas né de la dernière pluie.

Thomas n'insista pas.

Pour sauver la face, Alain ne reviendrait pas sur ce qu'il avait avancé.

Pour connaître la vérité, Thomas devrait user de subterfuges ou attendre que l'enfant, pris de remords, fasse des aveux. Pour l'instant, il se contenta de cette réponse.

— C'est bien, je te fais confiance.

— Je peux descendre dans le hall ? demanda l'enfant.

— Oui.

*

— Vous repartez, Monsieur de Rosmadec ? s'étonna l'hôtelière.

— Je vais à la mairie. Juste un aller retour.

Thomas s'arrêta devant la baie vitrée. Dehors, la pluie ne diminuait pas.

— C'est parti pour la journée ! dit-il, avec dépit. Cette fois, je prends ma voiture.

— Alain m'accompagne aux viviers, dit la femme. Ce midi, nous attendons un groupe d'un comité d'entreprise. Avec ce temps, ils s'attarderont à table.

— Vous avez toujours le même fournisseur ?

— Non, je change régulièrement. Aujourd'hui je vais aux "Viviers de la marée".

— Les tables sont plus solides ? dit Thomas, avec un sourire complice.

Elle le regarda, puis rosit de confusion en haussant les épaules. Elle tourna les talons et tapa des mains :

— Alain, mon petit, nous partons !

Thomas ouvrit la porte et courut vers sa voiture. Il voulait comparer les lettres anonymes au contenu de la boîte et des magazines.

Le vol d'Alain allait sans doute déclencher une réaction de la part du propriétaire du sac. L'enfant était-il en danger ? A bien réfléchir, non. Alain était suffisamment malin pour avoir accompli son larcin sans avoir été vu. Quoi qu'il en fût et par sécurité, Alain ne devait plus sortir seul.

L'après-midi, dans la chambre de l'hôtel, Thomas examina minutieusement les lettres et chercha des indices en comparant les coupures aux revues.

Il fut souvent dérangé par Alain qui s'ennuyait. L'enfant entrait dans la pièce, regardait, les coudes sur la table, le menton en appui sur les mains. Il mourait d'envie d'interroger Thomas sur l'intérêt qu'il portait à ces magazines. Il s'en abstenait par crainte de s'entendre demander, une fois de plus, la provenance exacte du sac.

Thomas n'était pas dupe. Il devina l'embarras de l'enfant. Moralement, il devait réprimander Alain pour son acte.

En son for intérieur, il désirait surtout le féliciter d'avoir mis la main sur une preuve aussi importante. C'était inespéré ! Mais il se garda bien de confier ce sentiment à l'enfant. Il ignora même ostensiblement sa présence, en gageant que sa curiosité l'emporterait et que s'établirait un dialogue au cours duquel il lâcherait enfin la vérité.

Il était évident que l'assassin n'avait pas commis la négligence d'abandonner ou d'oublier ce sac sur le quai. C'était impensable. Mais Thomas ne voulait pas braquer l'enfant.

Il devait exclure le mot vol de son vocabulaire et, de préférence, le remplacer par un euphémisme. Il avait la conviction qu'Alain connaissait, sans le savoir, le tueur ou du moins son domicile.

Dans la soirée, Thomas n'avait plus de doute. Les

revues du sac et le contenu de la boîte avaient servi à réaliser les lettres anonymes. Il approchait du dénouement à condition que l'enfant ne s'entête pas dans sa version des faits et avoue enfin l'endroit où il avait volé le précieux contenu.

Mais Alain campa sur sa position et n'en dit pas plus.

XXV

Dix-huit heures.

Thomas reçu un coup de fil du presbytère.

— Marcel à l'appareil ! J'ai fait une découverte importante. Pouvez-vous venir ? Un entretien téléphonique est délicat, le sujet est sensible !

Décidément, cette journée apportait son lot de nouvelles.

Que craignait le curé ? N'en faisait-il pas trop en redoutant d'hypothétiques écoutes téléphoniques ?

Thomas se prêta de bonne grâce aux injonctions de la cléricature locale.

— J'arrive !

Thomas recommanda à Alain de ne pas quitter l'hôtel.

Il avait enfin cessé de pleuvoir. Seul, un vent fort continuait à tout balayer sur son passage en faisant cliqueter les mâtures des bateaux de plaisance.

La marée était haute. Les vagues heurtaient avec violence la digue du Sillon et les embruns inondaient le passage de la jetée.

Thomas partit à pied, poussé par un vent arrière.

Un volet battait contre une façade de maison. Sur le port, les enseignes des commerces étaient malmenées.

Le jour déclinait. Les lumières des lampadaires étaient déjà allumées.

Le curé attendait Thomas avec impatience. Plus fébrile que d'habitude, il ne tenait pas en place.

— Vous êtes courageux d'être venu à pied !

— L'envie de faire un peu d'exercice, dit Thomas.

— Oui, ce que j'ai à vous dire est important. Le téléphone, ce n'est pas pratique…

Thomas pensait le contraire mais laissa dire.

— Voilà ! Je commence par où ? Ah… oui ! Vous avez des nouvelles de votre côté ?

Thomas espéra que le curé ne l'avait tout de même pas fait venir pour lui dire uniquement cela.

Il fit part du vol providentiel d'Alain.

— Brave petit ! conclut l'ecclésiastique. Moi, j'ai progressé ! rajouta-t-il fièrement, en fixant Thomas par-dessus les verres de ses lunettes. V.I.T.R.I.O.L. au-delà du folklore des alchimistes… Hein ?

— Folklore, folklore, je ne suis pas tout à fait d'accord avec vous ! La symbolique s'applique parfaitement à la situation. Cet homme a transcendé son amour pour cette femme, sa smara… Ah ! Ça m'échappe.

— Smaragdina ! Son émeraude, précisa le curé.

— C'est ça ! répondit Thomas en portant sa main au front. Je l'avais au bout de la langue.

— Admettons… Il y a mieux !

— … ?

— Avez-vous la liste des victimes ?

— Non, mais de mémoire il y a Omnès, Vigou-roux, Traouen, Inizan, et Illien. Mais où voulez-vous en venir, mon Père ?

— Vous ne voyez vraiment pas ? C'est plus pro-saïque que l'allégorie ! Vous allez être surpris.

Silence. Thomas réfléchissait.

Le curé reprit.

— Vous ne voyez pas, hein ? V.I.T.R.I.O.L… V comme Vigouroux, I comme Illien, au choix avec Inizan, T comme Traouen, I comme Inizan, puisque nous avons déjà pris Illien et O comme Omnès ! annonça-t-il.

— Ouais… ! Thomas était sidéré par la perspica-cité du curé.

— Oui, mais le plus inquiétant c'est qu'il nous manque une lettre… Nous devons nous attendre à une prochaine victime ! Et le mot vitriol sera enfin complet.

— Fort, très fort, mon Père ! L'assassin a réussi à reconstituer ce mot… avec les noms des personnes qui ont eu un rapport de près ou de loin avec le ter-rain de golf… Ceux dont le nom commence par une autre lettre ne sauront jamais à quoi ils ont échap-pé ! Il veut rattacher ce mot à sa vengeance. Je n'en reviens toujours pas ! Nous avons à faire à un para-noïaque à l'imagination très puissante. Ce qui est navrant, c'est qu'il met ses connaissances au service du mal et qu'il passe à l'acte !

— Pour exercer un droit de vie et de mort. Se prendrait-il pour Dieu ?

— En quelque sorte, oui.

XXVI

Dix-neuf heures trente.

Thomas salua le curé sur le seuil du presbytère.

« Sacré Marcel ! », pensa-t-il, en reprenant la direction de l'hôtel. Le vent ralentissait sa marche. Pierre et Anne n'allaient pas tarder à arriver pour dîner, si ce n'était déjà fait. « Ah ! Pour de la nouveauté, ils allaient être servis ! Empêcher le dernier crime. La date fatidique approchait jour après jour. Six meurtres, six de trop ! Alain détenait la clé. Comment lui faire avouer ? Une semaine… Il restait une semaine pour lui parler avec tact, afin qu'il confie son secret. Ça devrait aller… »

Thomas fut tiré de ses pensées.

— Salut !

— Ah, Jos ! Et la mécanique, tu t'en sors ? Thomas serra la main calleuse du pêcheur.

— Bah ! Plus de problème, ça marche ! Demain matin, j'appareille de bonne heure. Il est temps que je prenne la mer. Ça va sans doute secouer mais j'ai pas le choix.

Il fit un signe de tête à Thomas pour désigner le bar

voisin qui n'attendait qu'eux. Thomas hésita. Il regarda sa montre et posa les conditions :

— Un seul et je paie la tournée. On m'attend !

Après avoir sifflé son demi de bière et plaqué Jos au comptoir, Thomas reprit le chemin de l'hôtel en affrontant de nouveau le vent. Combien de journées de beau temps avait-il eu depuis qu'il était ici ? Pas beaucoup !

*
* *

Vingt heures.

Il aperçut Alain, le nez collé sur la vitre de la porte d'entrée, sa silhouette se détachait sur le fond éclairé de l'hôtel. Il devait l'attendre avec impatience.

— Tu aurais pu m'emmener avec toi, lui reprocha-t-il, l'air boudeur.

C'est vrai, il n'était pas sorti aujourd'hui.

— Nous attendons Anne et Pierre pour dîner, dit Thomas.

Apparemment Alain s'en contrefichait. Encore une soirée où les adultes accapareraient la conversation avec leurs problèmes…

— Viens, Alain. Nous allons nous asseoir dans le salon en les attendant.

Alain suivit à contrecœur, semblant supporter toute la misère du monde. Il s'affala dans un siège.

— Alors, ce sac, où l'as-tu trouvé exactement ? demanda Thomas avec un air de connivence.

— Mais, oh ! Je t'ai déjà dit, répondit Alain, en poussant un soupir comme s'il commençait à en avoir par-dessus la tête de cette histoire de sac.

— Tu es certain ?

— Mais, ouiii…

— Bon, d'accord…

Alain n'était visiblement pas en forme et Thomas regretta d'avoir abordé le sujet de cette façon. « Surtout garder son calme, choisir un autre moment », pensa-t-il.

*
* *

Vingt heures trente.

Le téléphone de la réception sonna.

Amélie apparue. Elle se précipita derrière le comptoir de l'accueil.

— Hôtel Le Neptune ! Oui ? Ne quittez pas, il est là. Je vous le passe ! Thomas, c'est pour vous ! Monsieur Picard !

— J'arrive.

Amélie tendit l'appareil à Thomas.

— Oui, Pierre ?… Non… Non, je vous attends, je suis avec Alain. Ne t'inquiète pas, elle ne va pas tarder… Ne t'en fais pas, nous patientons.

Thomas rendit l'appareil à Amélie. Anne n'était pas encore rentrée chez elle. Pierre l'attendait.

Il rejoignit Alain toujours affalé dans son fauteuil, l'air désabusé. Thomas se prêta de bonne grâce aux devinettes "Carambar" pour détendre l'atmosphère.

— Alain ! Que se disent un spaghetti et une tagliatelle qui font l'amour ?

— Pff... fit Alain, en haussant les épaules.

— Ah ! Tu ne sais pas ?

— Non...

— Nous sommes ravis au lit... Raviolis... Tu comprends ?

Alain leva les yeux vers le plafond. Il soupira avec un demi-sourire de condescendance devant tant d'indigence intellectuelle.

— Tiens ! Une autre... continua Thomas.

*
*   *

Vingt-et-une heure.

Le téléphone de la réception sonna à nouveau. Clac... Clac... Clac... L'hôtelière décrocha.

— Monsieur de Rosmadec. Pour vous ! Monsieur le maire !

— Pierre ? Ah ! Elle n'est toujours pas là ! Thomas regarda sa montre... Que je vienne ? D'accord !

Thomas rendit l'appareil.

Il était songeur. Anne n'était toujours pas rentrée.

Il demanda à l'hôtelière si elle pouvait faire dîner Alain. Il devait s'absenter. Il n'en avait pas pour longtemps.

— Ne vous inquiétez pas, il va manger avec nous. Nous n'avons personne ce soir. Hein, mon chéri ? dit-elle en s'adressant à Alain.

Thomas enfila son vêtement à la hâte et se précipita vers sa voiture.

L'évidence surgit en un éclair dans sa tête : la dernière lettre manquante, L comme Lestel !

XXVII

Thomas ne mit pas plus de cinq minutes pour arriver chez Anne. Pierre l'attendait un peu inquiet, sans plus, ignorant les dernières informations.

Thomas les lui révéla.

— Il n'y a plus de doute, Pierre ! Anne est en danger. L'assassin nous prend de vitesse. Il précipite son plan… Il sait que l'étau se resserre. Son sac a disparu, il panique.

Pierre ne disait rien, il était abasourdi.

— Quand as-tu vu Anne pour la dernière fois ?

— Je l'ai quittée après le déjeuner. Cet après-midi, je n'ai pas mis les pieds à la mairie. Nous devions nous retrouver ici, chez elle, vers dix-neuf heures.

— Ce matin, elle ne t'a rien dit de particulier ?

— Non.

— Quel chemin emprunte-t-elle pour rentrer ?

— Attends ! Je me souviens, elle devait passer à la boutique de Paul Grimaud pour lui demander de récupérer des sièges.

— Allons chez lui !

— Et après ? Faire quoi ? Pierre semblait désemparé. Il peut déjà nous dire s'il a vu Anne ce soir. Nous pouvons aussi lui demander de nous aider. Nous devons faire vite ! Le presbytère est sur notre passage. Nous irons chercher le curé.

— Mais pour aller où ? répéta Pierre en s'énervant. Où allons-nous trouver Anne ? Tu comprends ça, au moins ?

Thomas le secoua.

— Ce n'est pas en restant ici à nous morfondre sur son sort que nous progresserons !

— J'ai peur, Thomas, j'ai peur qu'il soit trop tard…

— C'est de ma faute, j'aurai dû me douter que…

— Arrête ! Tu as fais ce que tu as pu… Pierre allait et venait dans la pièce. Il ne tenait pas en place.

— Allez ! Dépêche-toi ! Il nous faut du renfort et il faut surtout que l'enfant parle. Là, il va falloir marcher sur des œufs et faire preuve de tact…

*

Vingt et une heure trente.

Thomas sonna à la porte du presbytère.

— A la bonne heure ! Le curé était ravi de les voir. Il ouvrit largement les bras en signe d'accueil. J'ai déjà un invité !

Ils entrèrent dans la salle à manger où Roland Quéméneur était attablé devant un civet de lapin.

Thomas cacha sa surprise. La présence du professeur tombait à pic. C'était plus qu'il en espérait.

— Mon Père ! dit Thomas. Anne Lestel a disparu !

Le curé prit son air malicieux.

— Ah, les femmes ! Depuis qu'Ève a croqué la pom…

— Vous ne comprenez pas ? Anne Lestel… Lestel avec un L, insista Thomas.

Le curé se figea.

— Ouh la la ! Je n'ai pas réalisé, dit-il, en mesurant la gravité de la situation. Que peut-on faire ? Vous avez une idée ?

— C'est quoi cette histoire ? demanda le professeur.

— Trop long à t'expliquer, Roland, dit le curé.

— Écoute mon cher, si tu me prends pour un déficient cérébral, je regagne mes pénates et je te laisse avec tes mystères !

Tout le monde le calma. L'histoire fut reconstituée rapidement par bribes. Le professeur écoutait l'un, l'autre, en acquiesçant à chaque fois.

— Si j'ai bien compris, il y a un serial killer à Camaret, déjà six morts… Rien que ça ! Et bientôt une septième victime, si ce n'est déjà fait, en la personne de notre ravissante secrétaire de mairie ! Vous… Vous ne regardez pas trop de feuilletons à la télévision ?

— Roland ! Arrête de déconner, c'est sérieux. Assez perdu de temps en bavardages, s'énerva le curé.

Puis, désespéré devant le scepticisme du professeur, il ajouta :

— J'en étais sûr, avec lui c'est tout un pataquès. Regardez-le ! Typique du comportement du pachyderme, l'inertie face au danger…

— Marcel ! En comparaison, tu ressembles à une antilope affolée prête à courir dans tous les sens.

— Ça suffit vous deux ! intervint Pierre Picard. Il y va de la vie d'une femme… la mienne en l'occurrence.

Le professeur et le curé le regardèrent étonnés.

— Surpris de l'apprendre ! s'exclama l'ecclésiastique.

— Nous devons nous organiser. Roland, vous êtes des nôtres ou pas ? demanda Thomas.

— Bien sûr ! Un éléphant c'est parfois utile. N'est-ce pas, Marcel ?

— Nous allons former des équipes.

— Mais pour faire quoi ? On ne sait même pas où est Anne…

— Tu me fais confiance ?

Pierre se tut.

— Vous deux, dit Thomas, en s'adressant au curé et au professeur, vous allez chercher Paul Grimaud chez lui ! Ça fera un de plus. Mon Père, vous savez où se trouve sa nouvelle maison ?

— Oui.

— Parfait. Inutile de perdre du temps à lui expliquer la situation, il est plus ou moins au courant. Il est vingt-deux heures quinze, rendez-vous sur le quai à vingt-trois heures.

*

*   *

Rien à faire… Les liens étaient trop serrés. Dans l'obscurité Anne Lestel se débattait. Son corps la faisait terriblement souffrir. Sa tête aussi lui faisait mal. Elle se souvint… Elle avait heurté violemment le mur. Après, tout avait chaviré. Il en avait profité pour la jeter à terre et lui attacher les mains dans le dos. Puis, il l'avait bâillonné et lui avait mis un sac sur la tête. Comme elle continuait à se débattre, il lui avait aussi lié les pieds… Elle s'était évanouie. Par la suite, elle était incapable de dire ce qui s'était passé. Les seules paroles qu'elle avait entendues lorsqu'il l'avait laissé choir comme un paquet sur le sol furent : « Je reviendrai… Ce soir, mon œuvre sera accompli. »

Le contact du carrelage lui glaçait les os. Elle se mit à grelotter, de froid, de peur, elle ne savait plus.

Elle tenta une fois de plus de se libérer de ses liens. Sans succès.

Épuisée, elle sentit les larmes l'envahir.

*

*   *

Les phares étaient défaillants. Conscient de l'urgence, le curé fonçait en direction du domicile de Paul Grimaud.

Penché sur le volant de sa voiture, le nez collé sur

le pare-brise, il scrutait la route derrière ses lunettes.

— Je ne sais pas où Rosmadec veut en venir ni ce que nous allons faire, mais nous sommes obligés d'exécuter ses ordres, tu es d'accord avec moi Roland ? Après tout, si j'ai bien compris, c'est son métier et…

— Fais attention ! Tu vas nous envoyer au fossé ! cria le professeur. Tu veux que je te dise, tu es un incontinent de la parole ! Tu peux arrêter ton verbiage, ne serait-ce que deux minutes, deux toutes petites minutes et te concentrer sur la route, c'est tout ce que je te demande !

— Verbiage ? Tu exagères, Roland. Autant dire que je dégoise ! Ah ! Et cette voiture qui n'avance pas ! Il va falloir que je la vende. Tu te rends compte de ce qu'elle me coûte en réparations ? Je vais devoir changer les amortisseurs, sans oublier le…

— Stop… Stop Marcel ! Occupe-toi d'abord des phares et fais-moi grâce des détails. Chaque fois que je monte dans ta voiture, c'est pour subir un cours de mécanique auquel je ne comprends rien.

— Nous arrivons ! Attends… Le curé baissa sa vitre et sortit la tête… Oui c'est cette maison, une ancienne ferme, je la reconnais.

*
* *

Ce sac sur la tête la rendait folle, elle étouffait. Elle essaya de changer de position. Les mains liées dans le dos, elle réussit à se redresser sur les genoux. Chaque mouvement l'épuisait et ravivait une douleur… Maintenant, c'étaient ses genoux qui lui faisaient mal. Elle voulut se redresser. Mais comment faire ? Ramener la pointe de ses pieds en appui sur le sol, pencher son buste en avant et, d'un brusque mouvement en arrière, se retrouver accroupie, puis se lever doucement en maintenant son équilibre.

« Je dois y arriver ! » pensa-t-elle. Ah ! Et ces liens qui lui meurtrissaient la chair. Ils étaient bien serrés. Malgré ses efforts répétés pour se libérer, elle n'en percevait pas le moindre relâchement… Le salaud… Il avait tout prévu. Il allait la tuer. Il n'y avait pas d'autre issue puisqu'elle le connaissait. Comment était-ce possible… Non pas lui ! C'était un cauchemar… Thomas avait raison. Il ne faut jamais se fier à ses sentiments. Comment un homme pouvait-il… Cela n'avait plus d'importance… Elle devait tout tenter pour sauver sa peau !

« Je dois me concentrer sur chaque mouvement. Voilà pour les pieds… Doucement… Aïe ! Continue ma fille… Voilà, c'est bon. Surtout, garde les jambes serrées, sinon ça va agir sur les liens des pieds… Allez, c'est le moment, ouf ! J'y suis. Un peu de répit avant de continuer… Un bruit ? »

Elle dressa la tête pour mieux écouter.

« Oui… Un bruit de clé que l'on tourne dans une

serrure… Des pas… Il arrive ! C'est fini… Fini pour toi. Il vient te tuer. Trop tard… ça y est, il entre ! »

De désespoir, Anne Lestel se redressa en poussant un hurlement étouffé par son bâillon. La porte s'ouvrit, elle perçut la lumière à travers la trame du sac.

Dernière vision.

Elle perdit l'équilibre et son corps bascula.

*
*   *

Quand Thomas et Pierre surgirent dans la chambre, Alain était déjà au lit. Il ne dormait pas. Il écoutait une histoire que lui racontait Amélie.

Alain était impressionné. Il se demanda ce qui se passait en voyant l'affolement des deux hommes. Amélie se retira discrètement de la chambre. Thomas put expliquer calmement à Alain ce qui se passait. Maintenant, il devait tout raconter à propos de ce sac. C'était très, très important !

— Tu comprends, Alain ? dit Thomas.

— Oui… Je l'aime bien, Anne.

— Je sais qui lui veut du mal. J'ai mon idée là-dessus. Mais tu es le seul à pouvoir nous le confirmer.

Alain, assis sur le bord du lit, regardait ses pieds en les balançant. Il réfléchissait. Thomas bouillait intérieurement mais il ne le laissa pas paraître. Pierre, lui, était abattu. Il se reprochait de n'avoir rien dit aux gendarmes. Pourtant Anne avait insisté plusieurs fois pour qu'il lc fassc. Il aurait dû l'écouter, il n'en serait pas là. Elle aurait pu être sauvé. A présent, c'était trop tard.

L'enfant regarda Thomas de ses yeux innocents. De l'index il lui fit signe de s'approcher. Thomas s'assit à côté de lui sur le bord du lit.

— Tu me gronderas pas ?

— Promis, juré !

Alain mit ses mains autour de sa bouche et chuchota son secret à l'oreille de Thomas.

— Tu es certain que c'est là ? demanda Thomas.

— Oui. Alain était catégorique.

— Comment était l'homme ?

Là, c'était plus compliqué. Alain s'embrouillait dans ses explications.

— Si je te le montrais, tu saurais le reconnaître ?

— Oui.

— Habille-toi. Tu viens avec nous !

L'enfant ne se le fit pas dire deux fois. Il sauta sur ses vêtements pour les enfiler.

Assis sur le siège arrière de la voiture, Alain écouta les dernières consignes de Thomas :

— Surtout, tu restes dans la voiture, tu ne te montres pas. Tu regardes discrètement et tu attends !

*

*   *

Le curé martela du poing, la porte de la maison de Paul Grimaud.

— Monsieur Grimaud ! Monsieur Grimaud !

Un chien du voisinage aboya.

« Il est absent ou alors il dort déjà. »

Le professeur prit un peu de recul pour regarder les volets de la façade. A cet instant la lumière du perron s'alluma.

— Oui, j'arrive ! entendirent-ils de l'intérieur de la maison.

La porte s'ouvrit.

— Pourquoi ce tintamarre ? demanda Paul Grimaud.

— Vite ! Anne Lestel a disparu, nous avons besoin de vous. On vous expliquera. Montez dans ma voiture ! ordonna le curé.

— D'accord, je suis des vôtres. Attendez ! Je ne vais pas sortir en chemise, je prends un vêtement. Allez-y toujours, je vous rejoins. Je prends mon fourgon !

— Oui ! Ça fera un véhicule de plus pour les recherches. Rendez-vous sur le quai Toudouze à…

— Onze heures, coupa le professeur en regardant sa montre. Cela laisse peu de temps.

— Pourquoi cette urgence ? interrogea Paul Grimaud.

— Vite, vite ! Ce n'est pas le moment de discuter, répondit le curé d'un ton péremptoire, en brassant l'air avec sa main.

Il claqua la portière de sa voiture et démarra en trombe. Alors qu'il venait tout juste de s'asseoir sur son siège, le professeur rattrapa à la volée sa portière qu'il n'avait pas encore fermée et se cramponna au tableau de bord.

— Marcel, si tu continues, ils ne seront que trois pour faire les recherches…

Paul Grimaud saisit à la hâte un blouson posé sur le dossier d'une chaise, éteignit la lumière et courut jusqu'à son véhicule. Dans la précipitation, ses clés de contact tombèrent sur la route et il perdit de précieuses minutes pour les localiser.

*
* *

Le curé et le professeur arrivèrent les premier au quai Toudouze.

— Sans renseignements précis, dit le professeur, je ne vois pas comment nous allons faire pour retrouver Anne Lestel. Peux-tu m'expliquer brièvement cette histoire d'enlèvement et de meurtres ? Je n'y comprends rien.

— Vitriol, dit le curé.

— Quoi, vitriol ?

— L'assassin a commis ses crimes en choisissant chacune des lettres de ce mot comme initiales des noms de famille des victimes. La dernière lettre est L, comme Lestel.

— Ah ! Les voilà ! s'exclama le professeur en voyant arriver la voiture de Thomas.

Thomas et Pierre descendirent du véhicule et vinrent rejoindre les deux hommes.

— Et Paul Grimaud ? s'enquit Thomas.

— Il arrive, répondirent-ils ensemble.

En attendant l'artisan, le professeur continua sa conversation avec le curé.

— D'accord, mais pourquoi vitriol ?

— En référence à une formule des alchimistes.

— Les alchimistes ? Tu veux dire, *Visita interiorem terrae rectificando invenies operae lapidem ?*

— Tiens ? Tu connais la formule ! Ça, c'est la meilleure ! Pourquoi tu ne m'as pas répondu lorsque je te l'avais demandé ?

— Ben… Je pensais que tu te fichais de ma poire ! Comme d'habitude !

— D'abord, le O, ce n'est pas *operae* mais *occultum,* répondit le curé énervé.

— Je regrette Marcel, il y a deux écrits différents, mais le sens est le même.

Thomas prêta l'oreille. Il regarda le professeur, mais se tut.

— Voilà Paul ! dit Pierre, en apercevant le fourgon. Thomas, maintenant, il faut faire vite !

Thomas baissa le ton pour ne pas être entendu.

— Calme-toi, Pierre. Je sais que tu es fou d'inquiétude pour Anne. Moi aussi. Mais nous devons passer par là si nous voulons la retrouver.

— Dis-moi que ce n'est pas vrai ! C'est un cauchemar !

Pierre Picard se prit la tête entre les mains. Thomas aussi redoutait le pire. Il ne sut que répondre. Il passa son bras sur l'épaule de son ami pour le réconforter.

— Pierre, surtout laisse-moi faire !

Paul Grimaud s'arrêta à hauteur des quatre hommes et sortit en laissant le moteur de son fourgon en marche.

— Peut-on m'expliquer ce qui se passe exactement ?

Le curé et le professeur sortirent également de leur voiture.

— Mon Père, dites-lui !

Thomas se dirigea vers sa voiture. Il ouvrit la portière.

— Lequel ? Alain.

— Lui. Celui qui est juste à côté de Pierre, répondit Alain en désignant l'un des quatre hommes.

— Tu es sûr ?

— Oui.

Thomas rejoignit le groupe.

— Monsieur Grimaud, vous allez nous dire ce que vous avez fait d'Anne Lestel ! Inutile de nier, nous avons les preuves que vous êtes l'auteur des lettres et des assassinats !

— Quoi ? s'exclama Pierre qui tombait des nues.

Paul Grimaud eut un mouvement de recul.

— Salaud ! Où est Anne ? cria Pierre Picard en bondissant vers lui.

L'artisan esquiva la charge, il se précipita vers son fourgon et démarra.

Les riverains réveillés par cette agitation anormale ouvraient leurs volets.

— Vite ! cria Thomas, je le poursuis. Vous, allez fouiller son domicile et son magasin !

— On n'a pas les clés ! cria le professeur.

— T'occupe, Roland, on défoncera les portes ! dit le curé.

Les moteurs des véhicules vrombirent. Il y eut des cris, des claquements de portières et des crissements de pneumatiques. Puis le bruit des moteurs s'estompa dans la nuit. Le quai retrouva son calme et les volets furent refermés.

Thomas prit en chasse le fourgon de Paul Grimaud. Celui-ci bifurqua à gauche du quai Vauban en direction de la route du Toulinguet. Il roulait vite et avait de l'avance.

Thomas tenta de réduire l'écart. L'artisan prenait des risques, il tourna sur la droite pour emprunter la rue Péron.

A l'arrière, Alain, tétanisé, ne disait rien. Assis sur le bord de la banquette, il se cramponnait aux dossiers des sièges avant.

Paul Grimaud continua droit devant, en direction de la pointe du Grand Goin. Son véhicule fit une embardée. Il heurta violemment un roc sur le bas côté de la route et il fut immobilisé. Il ne pouvait aller plus loin. Devant lui commençaient les chemins côtiers.

Il descendit du véhicule et poursuivit sa fuite désespérée en courant.

Thomas écrasa sa pédale de frein en arrivant sur le fourgon.

— Reste dans la voiture ! cria-t-il à Alain.

Il s'élança derrière la silhouette de Paul Grimaud. A chaque foulée, il tentait de rattraper son retard en luttant contre le vent venant de l'océan. Il buta sur un caillou et maintint de justesse son équilibre.

Où le menait cet homme ? Sinon vers la falaise. Pourquoi avait-il choisi cet endroit sans issue ? Thomas devait se méfier, c'était un piège. Après une course effrénée, acculé, Paul Grimaud s'arrêta. Il se retourna. Thomas ralentit son allure.

A présent, quelques pas seulement séparaient les deux hommes.

Face à face, sans dire un mot, ils reprenaient leur souffle.

Ce fut Paul Grimaud qui parla le premier :

— Je vais quitter ce monde.

— Ne faites pas ça ! cria Thomas, en le voyant reculer doucement vers le bord de la falaise.

— Vous avez contrarié mon plan, Monsieur de Rosmadec ! Depuis des années, je ne vivais que pour la venger !

— Je le sais.

Thomas fit un pas en avant.

— N'approchez pas ! C'est inutile, je vais la rejoindre.

— Ne faites pas ça ! C'était un accident, personne n'a voulu sa mort !

— Non, vous vous trompez ! Je connais la vérité. Colette et moi correspondions. Lorsque j'étais à Alexandrie, elle m'avait fait part des pressions qu'elle subissait de la part des Illien pour qu'elle quitte la maison. Devant son refus, une nuit qu'il était de garde, Henri Omnès a mis le feu à la maison. Il a été payé pour ça. Il n'était pas saoul ce soir-là. Il a tardé à donner l'alerte parce qu'il était sur le chemin du retour. C'est un crime !

Thomas se rapprocha un peu plus. Il voulait gagner du temps.

— Comment l'avez-vous su ?

— Par Soizic… Elle m'a écrit à l'ambassade en Égypte pour me faire part du drame, mais j'étais en Chine. Ce n'est qu'à mon retour à Alexandrie que j'ai été prévenu.

— Ça ne prouve rien !

— Si ! Un jour de beuverie, Omnès a été pris de remords, il a tout avoué à Soizic.

— Pourquoi n'a-t-elle jamais rien dit ?

— C'était son neveu. Elle a préféré garder ce fardeau pour elle. Lorsque je suis revenu, Soizic a été la première personne que je suis allé voir. Elle m'a avoué la vérité.

— Vous avez alors décidé de venger votre compagne…

— Oui… Toutes les preuves de l'assassinat avaient disparu. Je n'avais pour seuls témoins qu'une vieille folle et un ivrogne. Personne n'aurait cru à cette histoire.

Thomas tendit doucement la main vers Paul Grimaud.

— Venez ! Nous allons en parler.

— Arrêtez ! Ça ne sert à rien ! Soyez rassuré, Anne Lestel est vivante ! cria Paul Grimaud.

— Non ! Attendez ! hurla Thomas, en plongeant à terre pour le saisir aux jambes.

Trop tard, Paul Grimaud avait basculé dans le vide.

Thomas, toujours à terre, ferma les yeux et imagina la chute sans fin.

Quelques secondes plus tard, il regarda. A la lueur de la lune, il distingua le corps sans vie agité par les flots. Sonné, il se retourna sur le dos et regarda un moment défiler les nuages noirs dans le ciel.

Fini, tout était fini.

Il comprenait à présent pourquoi Paul Grimaud avait tardé à se manifester.

Soizic savait par Colette Derval qu'il était en Égypte. Elle avait écrit à l'ambassade… alors qu'il était parti en Chine… Ils avaient dû mettre du temps pour le retrouver.

Las, il se releva pour rejoindre sa voiture et s'assit sur le siège. Il mit ses mains en appui sur le volant et y posa son front. Il sentit une main se poser sur son épaule.

— Tu es malade ? demanda Alain.

— Non.

— On rentre seuls ? Il est où l'autre… monsieur ?

— Parti. Il est parti.

Il tourna la clé pour mettre le contact.

*
* *

Thomas se rendit d'abord chez Paul Grimaud, puis à sa boutique. Les portes avaient été ouvertes mais il n'y avait personne. Il passa devant le presbytère, sans plus de succès. Il se décida pour la maison d'Anne Lestel et aperçut de la lumière par les fenêtres.

Il frappa à la porte. Le curé ouvrit.

— Ah, vous voilà ! s'exclama-t-il. Nous avons retrouvé Anne… Eh oui ! Elle était dans la maison de Paul Grimaud !

— Comment va-t-elle ?

— Bien. Enfin, choquée tout de même. On le serait à moins. Le médecin est passé, à part quelques ecchymoses sans conséquences, elle a surtout subi un grand choc psychologique. Tu n'es pas encore couché ? rajouta-t-il à l'intention d'Alain.

— Et… Paul Grimaud ? demanda le professeur à Thomas.

— Paul Grimaud, c'est fini.

— Vous voulez dire…

— Mort, oui.

— Vous l'avez ?

— Non, il s'est fait justice lui-même.

Pierre Picard était près d'Anne Lestel. En entendant la voix de Thomas, il descendit les escaliers pour venir aux nouvelles, épuisé mais détendu par ce dénouement heureux. Anne était bien vivante !

Thomas raconta la fin choisie par Paul Grimaud.

— C'est un accident… Un stupide accident en recherchant des améthystes… Demain quelqu'un découvrira son corps… Cette fois, nous ne recevrons pas de lettre à la mairie, conclut Pierre Picard.

ÉPILOGUE

Anne Lestel ne sut jamais qu'elle avait eu la vie sauve grâce au curé et au professeur, arrivés juste au moment où Paul Grimaud aller la tuer.

Ce dernier, désorienté, avait préféré ouvrir la porte aux deux hommes et remettre à plus tard son acte macabre.

Thomas avait soupçonné le professeur. Mais il était confronté à un dilemme. Comme avait dit Paul Grimaud, le fait de rechercher des améthystes ne faisait pas forcément de lui l'auteur des lettres, il en était de même pour l'enseignant, amateur d'ouvrages sur l'alchimie.

Heureusement, Alain était intervenu dans cette affaire en s'appropriant hardiment le sac compromettant, lors du déménagement de l'artisan.

Quant aux Camarétois, ils ignorèrent cette tragique histoire et les divagations d'Yvon Le Saout furent oubliées.

Sur le quai de la gare de Quimper, l'instant était au départ.

Anne, Pierre, le curé et le professeur accompagnaient deux voyageurs parmi tant d'autres. Avant d'embarquer, on s'embrassa, on se congratula en se promettant de se revoir dans un proche avenir pour une célébration nuptiale et le train s'ébranla.

Dans le compartiment, rien ne laissait paraître que ces deux passagers unis par un étonnant hasard vivaient les dernières heures d'incertitude sur l'avenir de leur relation.

A l'approche de la capitale, Alain devenait de plus en plus fébrile à l'idée de la séparation. Pour tromper son inquiétude, il ne cessait d'aller et venir nerveusement dans le couloir central.

L'homme qui l'accompagnait semblait dormir, insensible à l'anxiété de l'enfant. Mais Thomas ne dormait pas. Il réfléchissait...

« Mesdames et Messieurs, nous arrivons à Paris, nous souhaitons que votre voyage... »

Le train s'immobilisa en crissant.

Thomas et Alain intégrèrent la file des voyageurs qui se dirigeaient vers la sortie du wagon. L'enfant jeta un regard chargé d'appréhension vers Thomas. Celui-ci, trop occupé par ses pensées, ne s'en aperçut pas.

Sur le quai grouillant, ils se frayèrent un passage. Léa était dans la foule. Elle aperçut Thomas et se jeta dans ses bras.

Alain les regarda s'embrasser, un peu gêné, comme s'il était de trop.

Puis Thomas se tourna vers l'enfant et lui prit la main.

— Léa, je te présente mon fils adoptif ! Quelques formalités à régler. Une histoire de papiers…

A ces mots, Alain serra un peu plus fort la main tendue, tandis que Léa s'impatientait en souriant :

— Venez vite, je crois que vous avez beaucoup de choses à me raconter, tous les deux !

FIN

© Quadri Signe - Editions Alain Bargain
125, Vieille Route de Rosporden - 29000 Quimper
E-mail : editions.alain.bargain@wanadoo.fr
Site Internet : perso.wanadoo.fr/editions.bargain

Dépôt légal n° 5 - 1ᵉʳ trimestre 2005
ISBN 2-914532-55-5 — ISSN 1281-7813
N° d'impression : 502184
Imprimé en France